世界一わかりやすい

ZOOM MASTER TRAINING COURSE

zoom マスター養成講座 改訂版

貸会議室アットビジネスセンター
著 タナカミカ　真鍋 郷

株式会社ハッチ・ワーク
監修 大竹 啓裕

本書をお読みいただく上での注意点

●本書に記載した会社名、製品名などは各社の商号、商標、または登録商標です。

●本書で紹介しているアプリケーション、サービスの内容、価格表記については、2020年
11月下旬時点での内容になります。

●これらの情報については、予告なく変更される可能性がありますので、あらかじめご了承
ください。

はじめに

　先の「Zoomマスター養成講座」を出版したのが2018年1月でした。当時はSkypeが主流でZoomといってもほとんどの人が知りませんでした。私たちが運営する貸会議室「アットビジネスセンター」は他に先駆けてZoomの啓蒙活動を行い「Zoomマスター養成講座」を開催してまいりましたが、今ではWeb会議用のツールならば、MicrosoftやGoogle、Ciscoという大手各社が出そろっていて選ぶ時代になりました。

　事実、私たちが提供する「オンラインセミナーサポート」でも、お客様の要望に合わせて数種のWeb会議ツールを使い分けています。その中で最も使い勝手のいいのがZoomです。

　2016年初めて友人の紹介でZoomを知った私は自社の経営する会議室の仕事に危機感を覚えました。「こんな便利なツールが普及したならば、もう人と人が会わなくてもよくなってしまうのではないか」これは一大事だということで、まだ日本語版が無い中で研究をしました。あれから4年が経過して、今では会議室のサービスとしてセミナーのオンライン化を積極的に支援しています。また、Zoomを使ってのあらゆる会議運営をサポートできるプロのテクニカルサポーターもおります。

　この本は、Zoomの使い方を常に研究しているテクニカルサポーターのタナカミカと「オンラインセミナーサポート」というセミナーのオンライン化支援サービスを運営する真鍋郷が、Zoomの上手な使い方を講義形式で伝えていきたいと思います。

　この本を通じてZoomの魅力と可能性を知っていただければ幸いです。

株式会社ハッチ・ワーク

代表取締役会長　大竹啓裕

CONTENTS

第 1 講
Zoomとはどういうものか？

1 Zoomとはどういうものか ·········· 10

2 Zoomの魅力はどこにあるのか ·········· 13

3 Zoomのプランと機能 ·········· 20

4 他社システムとの比較 ·········· 24

5 Zoomの現状はどうなっているか ·········· 27

第 2 講
Zoomを使うための準備

1 環境を整えよう ·········· 32

2 接続確認をしてみよう ·········· 34

3　アカウントを取得しなくても使える!?　………… 37

4　アカウント取得方法　………………………… 38

5　アプリを入れる　……………………………… 44

6　基本設定　……………………………………… 49

7　事前準備チェックリスト　…………………… 52

第 3 講

PCでZoomを使ってみよう（参加者編）

1　ミーティングに参加する　…………………… 54

2　ミーティング中の操作（参加者）　………… 56

3　困ったときの対処法　………………………… 67

4　よく使われるZoom用語を覚えよう　……… 70

CONTENTS

第 **4** 講
PCでZoomを使ってみよう （主催者編）

1 主催者向けマイアカウントの設定 ･･･････････ 76

2 主催者になるなら有料版がおすすめ ･･･････････ 80

3 今すぐミーティングをはじめる ･･･････････ 83

4 ミーティングをスケジュールする ･･･････････ 86

5 個人ミーティングIDの使い方 ･･･････････ 91

6 ミーティング中の操作 （主催者） ･･･････････ 94

7 複数人で運営しよう ･･･････････ 103

8 Zoomのウェビナー機能について ･･･････････ 105

第 5 講

スマートフォンや
タブレットでも使ってみよう

1 アプリの準備をしよう 112

2 スマホからミーティングに参加する 114

3 スマホからミーティングを主催する 117

4 スマホのミーティング中の操作 122

第 6 講

ワンランク上のZoomの使い方

1 Zoomの機能を使いこなそう 130

2 アプリ連携でさらにレベルアップ 148

CONTENTS

3 カメラ2台と連携してオンラインレッスン ……… 160

4 Zoomで動画を配信する ……………………… 165

5 最新の周辺機器と便利なツール ……………… 170

第 7 講

Zoomが起こした社会革命

1 Zoomで変わった社会 ………………………… 178

2 Zoomユーザーたちの声 ……………………… 180

第1講

Zoomとは
どういうものか？

Zoomとは どういうものか

1

2020年4月には、1日あたりの会議参加者数が3億人を超えると発表したZoom。利用者数が爆発的に増加しているこのWeb会議システムは、一体どのようなものなのでしょうか？

アメリカ生まれのWeb会議システム

　Zoomはアメリカ生まれのWeb会議システムです。2011年にスタートしてその後も進化を続け、2014年時点で利用者が100万人を超える人気のツールになりました。当初はアカウント登録や設定部分などすべて英語表記になっており、そこでつまずく人も多かったです。その後日本語対応がはじまったのは2016年のことでした。徐々に日本語対応が徹底されて、現在は日本語だけで問題なく操作できるようになっています。インストールもワンタッチ、細かい設定はほとんど自動的に行われ、通信量も非常に少ないので音声や映像も安定しているZoomは、一つひとつの設定や操作がかんたんなので、PCなどの機械が苦手、という人でもとてもかんたんに操作できます。そんな操作性のよさが徐々に日本中に広まり、更には2020年新型コロナウイルスの影響によるオンライン化の波によって全国的に有名なWeb会議システムの1つとなりました。

気軽にはじめられ、操作は手軽

　「Web会議システム」と聞くと数年前まではスカイプを思い浮かべる人が多かったのではないでしょうか？　現在ではその他にもTeams・WebEx・Google Hangoutなどが有名で、お仕事の相手先やWeb会議が必要な状況によって使い分けている人も増えています。

よくあるWeb会議システム
参加者全員がアカウントを持つ必要がある

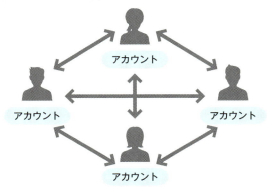

Zoom
アカウントが必要なのは主催者だけ

　他のWeb会議システムもある中でZoomが多く選ばれている理由は、とにかく気軽にはじめられ、手軽に操作できるからです。例えばミーティングへの参加方法について、Zoomではミーティングをするにあたり事前準備が必要なのは主催者だけ。参加者はワンクリックでミーティングに入り、会話をスタートできます。一方他のWeb会議システムでは双方のアカウント登録が必要になる場合が多いです。はじめてお話する人が相手の場合、まずアカウント登録の方法を伝え、アカウント

の承認をしてもらい（友達になり）、やっと本題に入ることができます。
Zoomなら、主催する1人が会議室を用意し、その部屋を参加者にURLで
伝えます。すると参加者はURLをワンクリックするだけで、会議室に集
まることができるのです。

　また、Zoomをおすすめしたい一番の理由としては、その接続の安定
性です。他ツールでは通信が安定せず使用帯域を減らして接続を安定
させるために、ビデオオフにしなければならない状況になることもあ
りますが、Zoomでは大人数でも安定して会話が続けられます。

　参加がかんたんなこと、接続が安定していることから、Zoom は特に
大人数を集めたいときに強みを発揮します。他にも、画面共有からグ
ループワークまで、Zoomにしかない便利な機能がついている点も大き
な特徴です。

Web会議以外にも使い方は無限大

　「Web会議システム」と表現しているので、「Zoomは会議で使えるツ
ール」と認識されているかもしれません。しかし、Zoomの使い方は無
限大です。会議はもちろん、毎回遠方から出向いていただいていたお
客様向けのコンサルティングも、全国へ発信したい大人数参加型のセ
ミナーの開催も、社員の在宅ワークの仕組みづくりも、地理的制約の
ない飲み会の開催も、Zoomを一度マスターしてしまえばすべて実現で
きます。

　最近ではZoomを使っての株主総会や就職活動の面接が行われている
のもよく目にしますし、Zoomを使って撮影して写真集を出したアーテ
ィストやドラマを制作した芸能人もいるぐらいです。

　あなたはZoomでどんなことにトライしてみたいですか？

Zoomの魅力はどこにあるのか

Zoomは便利だ！ かんたんだ！ と世界で絶賛されています。他のWeb会議システムにはない魅力的な機能について紹介します。

ワンクリックで参加

　Zoomはなんといっても参加がかんたんです。ビデオ通話で誰かと会話をしようとすると、まずは双方がアカウントを取得し、アカウントを教え合って「友達」になった後、やっと通話ができるようになるシステムが多いですよね。はじめての相手との通話では、「アカウントってどうやって取得するの？」「アカウント教えて」といった手間がかかります。しかし、Zoomはこの手順が一切不要。1人がミーティングIDを発行し、ここに来てください、とURLを教えるだけです。参加者側はURLをクリックするだけ。大人数でのミーティングで、特にこの便利さが本領を発揮します。10人全員にアカウントを教えるなんて手間がかかりすぎます。Zoomなら、1人が9人に同じURLを一斉送信するだけで、あっという間に繋がれます。

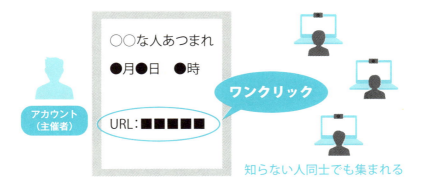

100人でも接続が安定

「途中で途切れてしまう」「画面が止まってしまう」など、Web会議に抵抗がある人も多いのではないでしょうか。議論していても、楽しい話をしていても、途中で音声が途切れてしまえば会話にストレスが生まれます。Zoomでは、こうしたビデオ通話にありがちなストレスがほぼ皆無です。これはZoomのデータ使用量が他のシステムに比べて圧倒的に軽いからなのです。

無料版で集めることができる最大人数は100名ですが、100名で会話をしても、対面で会話しているのと変わらないぐらいストレスなく会話ができるのがZoomの強みです。

PCもスマートフォンもタブレットも使える

本書でも、PCだけでなくスマートフォンやタブレットでの使い方を取り上げています。PCが一番たくさんの機能を使うことができるので、ミーティングを主催するにはおすすめですが、どの機器でも主催できますし、どの機器でも参加できます。移動中の時間を使ってスマートフォンでの会議も可能です。どこにいる人とでも、どんな環境でも繋がれる便利なシステムになっています。

ワンクリックで録画・録音

　Zoomでは、ミーティング画面でワンクリックすると、録画と録音を開始・停止できます。録画録音機能がついていないWeb会議システムだと、音声や動画を記録として残したい場合は、そのために別のソフトを入れる必要があります。ところがZoomなら、ミーティング中の好きなタイミングで録画録音を開始・停止しておけば、ミーティング終了時に自動的に音声ファイルと動画ファイルがPC内もしくはクラウド上に保存されます。変換する手間すらなく、音声と動画が完成します。会議の議事録として、セミナー欠席者への配信用動画の作成、対談動画の作成など、何でも使えてしまうありがたい機能です。

画面を共有して書き込める

　同じ資料を見ながら議論する。パワーポイントのスライドを見せながらセミナーを進行する。リアルな会議室、セミナー会場でよくある光景ですよね。Zoomを使うと、その場に集まっていない人同士でも、これと同じことができるようになります。PCのデスクトップや写真、パワーポイントもエクセル資料も、1人が持っているファイルをミーティ

ング参加者全員が共有することができるのです。さらに、共有された画面に対し、書き込みもできます。「これはどういう意味？」「ここが間違っている」など、フリーハンドでの線やテキストの打ち込み、図形で囲ってみたりと、いろいろな書き込みができます。そして、画面の共有や書き込みも、主催者だけでなく参加者全員ができるのが便利なポイントです。

全員で使えるオンラインホワイトボード

　Zoomの会議室には、ホワイトボードが整っています。真っ白の画面を全員で共有し、そこに全員で書き込みができる仕組みです。これも使い方はあなた次第ですが、例えばお題に対して全員で意見を出す場面では、各自のペンを色分けし、まずはホワイトボードに自由に書き出します。そしてその後、その文字を動かして似ている意見をまとめていき、丸の図形で囲って意見の種類分け、その画面を画像として保存、なんてことも可能です。

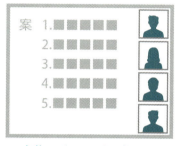

本物のホワイトボードと
同じように
みんなで書き込み

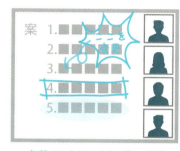

本物のホワイトボードと
違って
文字を自由に動かせる

小グループに分かれて話せるブレイクアウトルーム機能

　Zoom最大の特徴でもある「ブレイクアウトルーム」機能を使うと、ミーティング中に参加者を複数のグループに分け、それぞれのグループ内のみで会話ができるようになります。セミナー中に「3人ずつに分かれて意見をシェアしてください」なんてことをWeb上でできるようにしてしまったのがZoomです。チャットや画面共有、ホワイトボードは、もちろんグループセッション中にも使えます。主催者は、グループセッション中もそれぞれのグループを見回ることができ、参加者は

質問があれば主催者を呼ぶこともできるので、まさにリアルな場でのグループワークと同じ環境（むしろ隣のグループの声が聞こえてこない分、リアルよりもよい環境かもしれません）が整います。

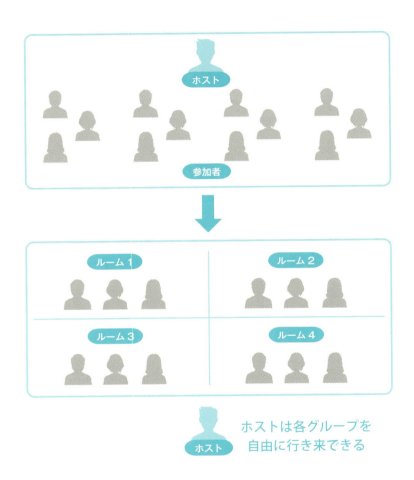

気軽に試せるアカウント料金（無料版も機能充実！）

　こんなに充実した機能を持ったZoomは、どんなに高価なツールなのだろう、と思いませんか。実は、ここまで紹介してきた機能を使い、40分間までのミーティングなら回数の制限なく何度でも開催することが

無料でできます。（参加者は100名まで）つまり、コストをかけずにお試しで使用してみることができるのです。これを使わない手はありません。

　40分間以上のミーティングがしたいとき、もしくはさらに応用的な機能を使いたい場合には、有料版への切り替えをする必要があります。有料版にもいくつかプランがありますが、参加者数100名以内の会議に利用するなら最も安価なプロ版で十分です。2020年11月現在、月額¥2,000でプロ版への切り替えが可能です。Zoomは安さと充実した機能を両立し、ミーティングの時間も回数も無制限に使える圧倒的に使い勝手のよいWeb会議システムなのです。

Zoomとはどういうものか？

Zoomのプランと機能

3　Zoomには無料で使えるアカウントと、課金をしてさらに機能を充実させる有料アカウントがあります。それぞれのアカウントでできることを確認しておきましょう。

無料版と有料版の違い

　無料版と有料版の大きな違いは、ミーティング時間の制限の有無にあります。無料版では、ミーティングを継続して行える時間は40分間です。40分経過すると、ミーティングは自動的に終了となります。一方の有料版は時間が無制限となるので、主催者が自主的に「ミーティングを終了」しない限り、いつまでもミーティングを続けることができます。

　もうひとつの違いは、有料版には特殊機能を追加できる点です。有料版にアップグレードすることで追加される機能と、有料版アカウントを使っている人のみが追加で購入することができるオプションが用意されています。これからはじめてZoomに触れる、という人はどのプランでなにができてなにができないのかが少しわかりにくいかもしれません。Zoom公式サイトにプランと価格を記した表がありますのでご確認ください。

　この項目では、Zoomで用意されているすべてのプランについて、できること・できないことを解説していきます。あなたやあなたの会社の目的に合わせて最適なプランを選択してZoomを活用してください。

https://zoom.us/pricing
無料で使える「基本」プランの他、さらに便利に活用できる「プロ」プラン、本格的に
ビジネスツールとして採り入れる「ビジネス」「企業」プランがある

無料版でできること

　あらためて、無料版でできることを確認していきます。

　無料版では、1対1のミーティングの場合は時間は無制限ですが、3名以上のミーティングを開催する場合には40分間までというミーティング継続時間の制限があります。そのため、長時間のセミナーを開催する場合は有料版へのアップグレードが必要になりますが、Zoomをはじめて使う際にはしばらく試用期間として無料版を使ってみるとよいでしょう。時間制限を除き、基本的な操作や機能については有料版と同様に使うことができるので、無料版で練習し、納得してから有料版に切り替えることをおすすめします。

　何名でのミーティングであっても、無料版の利用期間やミーティング開催回数の制限はありません。繰り返し使えるミーティングIDを発行すれば、40分繋いで休憩後にもう一度同じIDで再会、ということもできます。社内の会議であれば十分かもしれません。

　Zoomで画期的といわれている各機能は、基本的に無料版ですべて体

験することができます。また、無料版であってもZoom上でのやりとり
は暗号化されているので、気になるセキュリティ面も安心です。

有料版でできること（プロ版）

　「プロ」という名称の有料版では、無料版のすべての機能に加え、ど
んな規模のミーティングであっても時間の制限なく続けることができ
るようになります。また、プロアカウント自体の参加人数制限は無料
版と同じく100名までですが、さらにたくさんの人数を集めたい場合
には課金をして、最大1000名まで参加枠を増やすことができます。

　もうひとつ、有料版の重要なポイントとして「クラウド記録」があ
ります。ミーティング中のチャット、録画・録音をした際のデータは、
無料版ではPC内への保存のみが可能ですが、有料版アカウントではク
ラウド上での保存もできるようになります。長時間の録画・録音でデ
ータが重くなっていても、クラウド上に保存しておけば安心です。そ
の他、自分のミーティングIDを好きな番号にカスタマイズできたり、ア
カウントの設定を変更する権限を別の人に割り当てたりすることがで
きるようになります。

　有料版の購入方法は、第4講で紹介しています。有料版自体も、有料
版に追加できるオプションも、1ヶ月ごとに購入することができます。
使う月だけの料金発生で、無駄なく便利に使える点もZoomの魅力です。

さらに上級の有料版（ビジネス・エンタープライズ）

　Zoomには、プロアカウントよりさらに機能が充実した、ビジネスプ
ランとエンタープライズプランも用意されています。これは企業とし
てZoomを導入するためのもので、参加できる人数が増える他、ミーテ
ィングURLやミーティングに招待する際のメール文をオリジナルのもの
にカスタマイズできるなど、ブランディングの要素が大きくなります。

また、専用のサポートや分析が受けられるといった特徴もあります。ビジネスのメインツールとしてZoomを導入するのであれば、ビジネスやエンタープライズといったプランを検討するとよいでしょう。

無料版の活用で、会議効率UP？

ここまでに、Zoomの有料版と無料版の違いを説明してきました。その中で1つの大きな違いが、ミーティングの時間制限。3名以上のミーティングの際には、無料版だと40分までという時間制限がありますね。セミナーの開催や社内会議でZoomを活用される際、この制限がネックとなり、有料版を購入することを決めている人も多いかと思います。

普段の会議をZoomに切り替えよう！　と思うとき、「会議はいつも1時間だから、無料版だと足りない」→「有料版を購入しなければ」となりがちですが、一度立ち止まって考えてみてください。

会議は本当に1時間でないといけないのでしょうか。普段の会議は、本当に40分でできないのでしょうか。

Zoomの導入を機に、いつもの会議を20分短縮できるとしたらどうでしょう。毎週1度、なんとなく決まっている「1時間」という時間を会議に費やしている場合、1年間を50週間とすると年間で50時間＝3,000分間会議をしていることになります。1度の会議を40分に短縮すると、年間の会議時間の合計は2,000分です。年間1,000分も会議時間を短縮することが可能です。「会議が1時間だから有料版を購入しなければ！」と判断する前に、ちょっと発想の転換をすることで、無料版Zoomで社内の会議効率アップに繋げられるかもしれません。Zoom以外のITツールにもいえることですが、ツールの導入自体を目的にせず、その先のより効果的・効率的なワークスタイルを作り出すきっかけにしてくださいね。

23

他社システムとの比較

4

「Web会議システム」と呼ばれるシステムはZoom以外にもたくさん存在しています。中でもなぜZoomの人気が高いのか？　機能を比較して考察してみたいと思います。

Web会議システムとは？

　Web会議システムとは、遠隔地の間で資料やデスクトップのアプリケーションのリアルタイム共有を可能にする、インターネットを介したシステムです。かんたんに言うと、離れた場所にいる人たちがインターネットを使って集合し、会議できるようにするための仕組みです。

　Web会議が一般化する前には、同様のものとして「ビデオ会議（テレビ会議）」が多く使われていました（現在も存在します）。ビデオ会議は専用の回線・専用の機材を用意しないと使えないものであるため、導入するのに大きなコストがかかる上に、環境が整備された会議室でしか使えないという制限がありました。ただ、専用の回線と機材を使うため、Web会議室が使われるようになった当初は、ビデオ会議の方が画質や音声がクリアでした。しかしWeb会議システムの技術が進化してきたため、現在では画質・音声とも優れたWeb会議システムが多いです。

	Web会議システム	ビデオ（テレビ）会議システム
価格	無料〜スタートできることが多い	専用機器が高価で保守費用もかかる場合が多い
接続場所	場所を選ばず、どこからでも利用可能。会議室だけでなく自分のデスクや外出先のカフェなどからでも接続できる	専用機器が設置してある会議室でしか利用できないため、その部屋が空いていないときには会議ができない
共有できるもの	映像・音声・資料共有機能などの便利な機能が使える	映像と音声のやりとり中心
専用機器	専用機器不要。インターネットに接続できる端末と簡易的なカメラ・マイク・スピーカーを準備するだけですぐに利用可能。スマートフォンやタブレットからも接続できる。会議の相手も特別な設備は必要ない	専用機器が必要。会議室の機器の設置・工事をする必要があり、相手側にも専用端末がないと接続できない
アップデート	アップデートにより常に新しいバージョンを利用可能	機器の故障リスクがあり、修理や交換にも時間と費用が掛かる

Web会議システムの用途

　ビデオ（テレビ）会議システムは専用機器が必須であるため会議以外の用途に使うのが難しかったのに対し、「Web会議システム」の利用シーンは多岐に渡ります。例えば研修やセミナー・テレワーク・朝礼・商談・本社と現場を繋ぐ遠隔支援ツールとしてなど、アイディア次第で様々なシーンで活用できます。本書の第7講では、Zoomを実際に活用している興味深い事例をたくさん掲載しています。

　ご自身ではどのようにWeb会議システムを使ってみたいか？　ぜひアイディアをふくらませてみてくださいね！

他社システムとの比較一覧表

　世界中のオンライン化が急激に加速した2020年、Zoomはもちろんのことその他のWeb会議システム・ビデオ通話システムの進化も止まりません！　手軽さや接続の安定性を考えるとやはりZoomの優位性は間違いがないですが、同時接続人数・時間制限など活用シーンに合わせて別のシステムを検討する場合には以下の表を参考にしてみてください。今回は無料版の機能で比較しました。

	Zoom	Microsoft Teams	Webex Meetings
同時接続可能人数	100人	300人	100人
参加者の アカウント登録	不要	要	不要
無料版の時間制限	3名以上は 40分	無	50分
参加承認	○	○	○
ブラウザのみでの 参加	○	○	○
PCでの最大表示人数	25名	9人	25人
スマホでの最大 表示人数	4人	4人	2人 （iPhoneは4人）
録音・録画	○	×（有料で可能）	○
仮想背景・ 背景ぼかし	○	○	×
画面共有	○	○	○
チャット	○	○	○
投票	×（有料で 可能）	○	○

1

Zoomの現状は
どうなっているか

5 2014年に誕生し、年々全世界で利用者数が増加している
Zoom。2020年、Zoomは日本でどのように広がっているの
でしょうか？

1日3億人が利用!? 爆発的に普及

　2020年4月、Zoomは1日にZoomミーティングに参加する人数（1人が
1日に3回ミーティングに参加した場合、3人と数える）が3億人を突破
したと発表しました。Zoomは日に日に日本で普及していて、社内や取
引先など仕事で関わる人達だけでなく友人・親戚・家族からも「Zoom
で話そう！」なんて言われることも増えました。2019年まではそんな
状況は想像もできませんでした。

　2020年5月22日時点のテレワーク支援ツールの利用調査データによ
ると、Web会議システムの利用シェアはZoomがトップで35％。2位の
Skypeが18％ですので、いかにZoomが選ばれているかがよくわかります
（MM総研　https://www.m2ri.jp/release/detail.html?id=420）。

Zoomが作り出す新しいライフスタイル

　こうして爆発的に利用者が増加しているZoomは、実に様々な場面で
使われています。ある日、朝の情報番組をテレビで見ていたら、休校
中の小学校のホームルームをZoomを使って実施する様子や高校のダン
スの部活動をZoomで実施する様子が放映されていました。そして、そ
の女子高生に対して「オンラインで部活をすることについて感想は？」
というようなインタビューがZoomを介して行われる様子が次に流れて
きました。教育機関でのZoom活用だけでなく、テレビ局の様々な取材

Zoomとはどういうものか？

27

までもがZoomで行われることに驚きました。またある日には芸能人が
Zoomを使って演劇をしたとか、アーティストが写真撮影をZoomを使っ
て行ったなどのニュースも目にしました。

　Face to Faceが当たり前でなくなった今、人間の新しいライフスタイ
ルにZoomは大きな影響を与えています。

安心・安全・便利を追求するアップデート

　爆発的な広がりを見せているZoomですが、2020年前半には「Zoom爆
撃」などセキュリティ面での問題が指摘されました。かなり話題にな
ったため、中には急遽Zoom利用を禁止した企業もありました。

　しかし、その後のZoom社のアップデートのスピードは目をみはるも
のがありました！　毎週どころか2、3日に1回はアップデートがあり、
セキュリティの強化が行われていきました。さらには新しい機能が追
加されたり、仕様が便利な形に変わったりと、どんどんプロダクトの
改善が行われています。ここまで頻度高くアップデートが行われるの
はセキュリティの脆弱性が指摘されてからのことですが、Zoomが「安
心・安全・便利」を追求してアップデートを続けていることはZoomファ
ンならばすぐにわかります。例えば今はミーティング中の画面下に
当たり前のようにある「セキュリティ」ボタンですが、これは以前は
ありませんでした。待機室の設定や、参加者に画面共有を許可するか
などをかんたんに制限することができる「安全」を意識した機能でも
ありますし、「セキュリティ」という表示があることで「安心」すると
いう意味合いもあります。また、すぐにわかるところにあって誰でも
直感的に操作できる「便利」な機能でもあります。

　Zoom自体もどんどんセキュリティを強化していますし、それだけで
なくユーザー自身が正しく対策することで安全性を確保できます。

　ユーザー自身が行うとよいおすすめのセキュリティ対策は主に次の
3つです。

❶Zoomを最新版にアップデートする

PCアプリを最新版にする際にはこの画面からアップデートできます。

29

❷ミーティングパスワード・待機室・画面共有・チャットなどの設定を見直す

ミーティングパスワード：ミーティングIDだけでなくミーティングパスワードを入力しないと参加できないという設定にすることができます。

待機室：参加者はZoomにアクセスすると一旦「待機室」という部屋に入り、ホストや共同ホストが許可した人だけがミーティングルームに参加できます。

画面共有・チャット：参加者に画面共有をさせるか・参加者同士でのチャットを許可するか・チャット欄でファイル送信OKにするか、などを設定することでセキュリティ強化できます。

❸運用のルールを作る

・個人情報が載っているものはZoom上でも公開しない

・ZoomのURLをSNSやWebサイトで共有しない

などのルールを作って徹底することもセキュリティ対策として重要です。

第2講

Zoomを使うための準備

2 環境を整えよう

1 Zoomをスムーズに使いはじめるために、まずは環境を整えましょう。1つひとつの準備を事前にしておくことで、実際のミーティング時にも慌てずに接続・参加できます。

安定したインターネット環境

　何より重要だと言っても過言ではないのがインターネット環境です。Zoomは少ない通信量で安定した接続を保つことができるWeb会議システムではありますが、当然その安定性はインターネット環境に依存します。Zoomを使うときにはなるべく安定したインターネット環境を確保できるところから参加しましょう。インターネットというのはその性質上100%の安定を保証できるものではありませんので、対策として2種類以上のインターネット接続方法を用意するのがおすすめです。例えばPCからZoomに参加する場合、有線での接続・Wi-Fi接続・スマホ回線を使ってのテザリングで接続など数種類の方法でインターネット環境を確保しておけば、仮に1つの方法が不安定になったとしても別のものに切り替えればよいので安心です。

　自宅など普段の仕事場のインターネット環境がよくない場合には、プロバイダーやルーターを変えてみるなどの対策を行ってください。また、外出先のカフェなどからZoomに接続する場合には、ポケットWi-Fiやスマホのテザリングの用意をしておくと安心です。

デバイスと必要な機材

　Zoomに接続するために基本的にはPC・タブレット・スマートフォンなどのデバイスを使用します。自分が使用するデバイスに「マイク」

と「カメラ」がついているかどうかを確認しましょう。タブレット・スマートフォンの場合には問題ありませんが、PCにカメラやマイクが内蔵されていない場合があります。そのときには外付けのマイク・カメラを購入する必要がありますので確認してください。

　また、機材の調子は事前にしっかりと確認しておきましょう。

静かな環境を確保

　Zoomミーティングに参加するときには、基本的には静かな環境から参加するのがおすすめです。会社やカフェなど周りにたくさんの人がいる場所からZoomミーティングに参加する場合や、自宅で生活音がある中で参加する場合もあると思いますが、ミーティング中の雑音は他の参加者にとって大きなストレスになってしまうので配慮しましょう。静かな場所から参加するのを基本とし、どうしても騒音のある中からの参加になる場合には自分が話すとき以外はずっとミュート（音声オフ）にするなどの方法で対応してください。

背景に注意

　Zoomミーティングに参加するときには、自分の後ろに何が映っているかということに注意してください。背景が乱雑なデスクや整頓されていない本棚である場合、他の参加者に対してよくない印象を与えてしまいます。また、白い服を着ているときに真っ白い壁の前でZoomをすると、背景と同化して見えにくくなってしまいます。このように自分が他のZoom参加者からどう見えるかということに気を配って準備してください。第6講でご紹介するバーチャル背景を準備するのもおすすめです。

2

 接続確認をしてみよう

2 どのようにZoomにアクセスするのか？ マイクやカメラはきちんと機能しているか？ を事前の接続確認を通して試しておきましょう。

Zoomのアクセス方法を確認しよう

　まずはZoomに参加する方法を確認しましょう。主催者から送られてきたURLをクリックするのか？ Zoomのアプリ（PC・タブレット・スマートフォン）にミーティングIDを入れて参加するのか？ など基本的なアクセス方法を確認しましょう。主催者側で設定した接続確認日がある場合にはその時間を使ってZoom接続を試してください。自分1人で接続確認をしてみたいという場合には、第4講で説明する主催者の操作を参考に、1人でZoomミーティングを立ちあげて接続確認をしてみてください。https://zoom.us/test に接続するといつでも接続確認できるので便利です。

マイクの感度を確認しよう

　接続確認のためにZoomミーティングに参加できたら、マイクとスピーカーのテストをしてみましょう。左下のマイクのマークの右にある矢印をクリックすると「スピーカー＆マイクをテストする」というボタンが出てきます。ここのテストを通してマイクとスピーカーの状態を確認してください。

　タブレットやスマートフォンでテストをする場合には「スピーカー＆マイクをテストする」というボタンはありませんので、一緒に接続確認をしてくれる人と共に音声の状況を確認してください。

カメラの映りを確認しよう

　左下のビデオカメラのマークの右側にある矢印をクリックすると、内蔵カメラにするか・外付けのカメラにするかなど、どのカメラを使うかの選択ができるようになっています（複数のカメラがついている場合）。カメラに映っている自分の姿を確認してください。ピントが合わない・画質が悪いなどはありませんか？　また、背景は乱雑ではありませんか？　しっかりと確認しましょう。

　タブレット・スマートフォンの場合にも同様に、カメラが機能しているか・自分の映り方などを確認してください。

2 アカウントを取得しなくても使える!?

3 Zoomは1クリックで接続でき、アカウント取得せずに使えるのが大きなメリットの1つですが、主催者としてZoomミーティングを開催するならアカウントが必要です。

アカウント取得しなくても使える

参加者としてミーティングに参加するだけであればZoomアカウントを取得しなくても使えます。PCから参加する場合には主催者から送られてきたURLをクリックすると自動でZoomアプリがダウンロードされて接続できますし、タブレットやスマートフォンにZoomのアプリを入れておけばミーティングID（と場合によってはミーティングパスワード）を入力するだけでミーティングに参加できます。また、PCのブラウザからミーティングに参加するという方法もあります。※ただしブラウザからの参加の場合には一部の機能が制限されます。

Zoomアカウントを取得するメリット

主催者としてZoomミーティングを開催するのであればZoomアカウントが必須ですが、参加者であってもアカウントを取得しておくのがおすすめです。あらかじめ設定した自分の名前でミーティングに参加できる、プロフィール画像を設定できるなどのメリットがあります。

2 アカウント取得方法

4 アカウント取得はPCからでも、スマートフォンやタブレットからでもかんたんに行うことができます。ここではその方法を説明します。

1アドレス1アカウントで、どの機器でも

　Zoomのアカウントは、1つのアドレスに対し1つ作成することができます。アカウント登録はどの機器からでも行うことができ、一度作成すれば、そのアカウントをどの機器でも使うことができます。例えば、PCでアカウント登録をすれば、同じアドレス・パスワードでスマートフォンアプリでもログインができる、ということです。すでにアカウント登録しているアドレスで再度アカウント登録の手順を踏もうとすると、「このアドレスではすでにアカウントを作成しています」と表示され、重複しないようになっています。逆にいえば、アドレスを複数持っていれば、複数アカウントを取得することは可能です。アドレスの数だけアカウントを持つことができます。

PCで取得する場合

　早速やってみましょう。PCでアカウントを取得するには、まずインターネットで「Zoom」と検索し、Zoomのホームページを開きます（https://zoom.us/）。右上の「サインアップは無料です」というボタンから、ご自身のアドレスを入力。決定すると、入力したアドレス宛にZoomからメールが届きます（すでにアカウントを持っている場合、このときにその旨の表示がされます）。

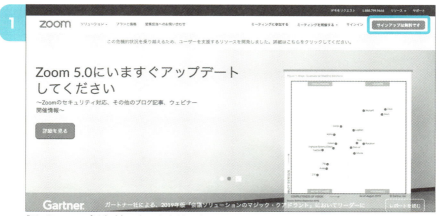

「サインアップは無料です」をクリック

ご自身のメールアドレスを入力

Zoomからメールが送られる

Zoomを使うための準備

届いたメールの「アクティブなアカウント」をクリック

手順をスキップ

名前やパスワードを設定

「マイアカウントへ」をクリック

この画面になったらアカウント取得完了

スマートフォンやタブレットで取得する場合

　スマートフォンやタブレットの場合は、最初にアプリのダウンロードをしておくとかんたんです。アプリストアでZoomを検索し、ダウンロードができたらアプリを開きます。最初の画面で「サインアップ」をタップすると、アドレスと名前を入力するフォームが現れます。ここに入力をしたら、サインアップできます。すると、入力したアドレ

ス宛にZoomからメールが届きます。メールの中の「アクティブなアカウント（Activate Account）」をタップするとパスワード設定を求められるので、2度同じものを入力してください。次へ進むと、友人をZoomに招待するようにいわれますがスキップして、マイアカウントへ進んでください。PCの場合と同じ流れです。これでアカウント登録完了です。

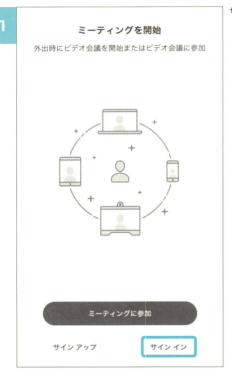

1

サインアップをタップ

2

メールアドレスと名前を入力

3

入力したアドレスにZoomからメールが届いたら「アクティブなアカウント」から登録

Zoomを使うための準備

43

アプリを入れる

5 ZoomアプリをPCにインストールすると、より多くの機能が使えるようになります。スマートフォンやタブレットの場合は、アプリを入れないとZoomが利用できません。

PCにアプリを入れる方法

https://zoom.us/
Zoomのホームページからアプリケーションをダウンロード

ダウンロードセンターの「ミーティング用Zoomクライアント」をダウンロード

PCアプリケーションからの場合、「参加」をクリックして主催者から伝えられたミーティングIDを打ち込むだけで、一瞬でミーティングに参加できるようになります。頻繁にZoomでミーティングに参加するのであれば、主催者からIDだけ聞いておけばよいので、この方法のほうがより楽に接続できます。

アプリのインストール後、アカウント登録しなくてもすぐにミーティングに参加できる

　アカウントの有無でZoomのインターフェイスは大きく異なります。どちらも複雑な画面ではないので、直感的にわかるでしょう。

アカウント登録後はこのような画面になります。

スマートフォン・タブレットは事前にアプリをダウンロード

　PCだけでなく、スマートフォンやタブレットでもZoomのミーティングに参加できます。これらの機器で参加する場合、事前にアプリストアで「Zoom Cloud Meetings」のアプリをダウンロードしておく必要があります。アプリをダウンロードしていないスマートフォンやタブレットでミーティングのURLをタップすると、アプリストアへ誘導されます。

　ダウンロードさえしてしまえば、あとはかんたん。PCと同様、アカウントの登録は必要ないので、アプリの最初の画面で「参加」をタップし、主催者から教えてもらったミーティングID（場合によっては追加でミーティングパスワード）を入力すれば完了です。招待されたミーティングに入ることができます。

まずはアプリストアで「Zoom Cloud Meetings」をダウンロード

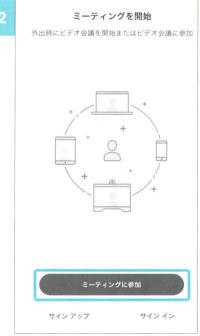

アプリのダウンロード後、アプリ画面を開き「ミーティングに参加」をクリック

あとはミーティングID（場合によっては追加でミーティングパスワード）を入れるだけで参加可能

アカウントを登録しなくても「ミーティングに参加」ができる！

ちなみに、アカウントを登録している場合は、この画面になります。

「参加」をタップして同じようにミーティングIDやミーティングパスワードを入れて参加

2

基本設定

6 ミーティングについての基本的な設定は、マイアカウントで行います。ここでは、マイアカウントの中でもとくに重要な「プロフィール」と「設定」について確認します。

マイアカウントにアクセスしてプロフィールを設定

ブラウザからZoom.usのトップページを開きます。ここで、右上のサインインをクリックします。登録したアドレスとパスワードを入力してください。1度目のログインで、PC上にパスワードを保存しておいた方は、トップページで右上に「マイアカウント」と表示されているところをクリックするとマイページが表示されます。ログインできましたか？

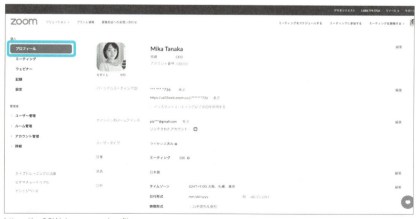

https://us02Web.zoom.us/profile

それでは、「プロフィール」を設定しましょう。ここには基本的なアカウント情報が表示されます。

登録変更したい項目の「編集」をクリックし、内容を変更する。変更後は忘れずに「保存」をクリック

　プロフィール画像を設定するには、人型のアイコンの下にある「編集」をクリックし、画像をアップロードします。このプロフィール画像は、ミーティング中にご自身のカメラをOFFにしたときに相手に表示されるものになります。名前も同様に、ミーティング中に表示されるものなので、アカウント登録時に設定したものを変更したい場合は、右側の「編集」をクリックし、変更内容を入力してから「変更の保存」をしてください。

　同じ手順で、アカウントのアドレス変更、パスワード変更を行うことができます。個人ミーティングIDというのは、アカウント登録時に振り分けられた専用のミーティングIDです（第3講で詳しく見ていきます）。このIDはランダムに振り分けられた番号なのですが、有料版にプランアップすると好きな10桁の数字を選択することができます。セミナーの開催などでブランディングしたいときには、語呂合わせで覚えてもらいやすい番号にできますね。

ミーティングの設定を確認

　ここでは、ご自身が主催する際のミーティングで使える機能の設定

ができます。ここでオンにしているものはミーティング中に使うことができ、オフにしているものはミーティング画面に表示されなくなります。その他にも様々な設定がこのページで確認できます。1項目ずつ読み進めて設定をチェックしておきましょう。

https://us02Web.zoom.us/profile/setting
使いたい機能がオンになっているか、ミーティング前に確認しておこう

POINT

本書で操作を確認していくとき、もしくは実際にミーティングを行っているときに「この機能のアイコンが出てこない」ということがあれば、マイアカウントの「設定」を確認しましょう。該当機能がオフになっていると、ミーティング画面に表示されなくなります。ミーティング中にマイページの設定を変えても設定は更新されない場合が多いので、その際には一度ミーティングを終了し、あらためてミーティングをはじめてください。

事前準備チェックリスト

7 このチェックリストで事前準備の最終確認をしていきましょう。

事前準備チェックリスト

			チェック
必須	1	安定したインターネット環境の確保	
必須	2	Zoomに接続するためのデバイスの調子は良好	
必須	3	デバイスにマイクがついている	
必須	4	デバイスにカメラがついている	
必須	5	静かな環境を確保	
必須	6	きれいな背景を確保	
必須	7	Zoomのアクセス方法を確認	
必須	8	接続確認でマイクの感度が良好	
必須	9	接続確認でカメラの映りが良好	
選択	10	Zoomアカウント取得	
選択	11	PCアプリをインストール	
選択	12	スマートフォンやタブレットにアプリをダウンロード	
選択	13	マイアカウントからプロフィールを設定	
選択	14	ミーティングの設定を確認	

　これで事前準備は完了です。次講からいよいよZoomミーティングに接続していきます。

第 **3** 講

PCでZoomを使ってみよう（参加者編）

3

ミーティングに参加する

1 Zoomでミーティングを主催するようになると必ず参加者のフォローが必要になります。主催側の設定方法の前に、まずは参加側の手順を確認しましょう。

URLをワンクリックでかんたんに参加

　Zoomでは、参加者側のアカウント登録は必要ありません。主催者から送られてきたURLをクリックし、「アプリをインストールしますか」という確認の画面が出てくるので許可すると、自動的にZoomがインストールされ、招待されたミーティングに入ることができます。

　あらかじめアプリケーションをPCにインストールしておけば、さらにかんたんにミーティングに参加ができるようになります。

　このアプリケーションからの場合、「参加」をクリックして主催者から伝えられた9桁（もしくは10桁）のミーティングIDやパスワードを入力するだけで、ミーティングに参加できるようになります。

54

アプリのインストール後、アカウント登録などは一切不要。すぐにミーティングに参加できる

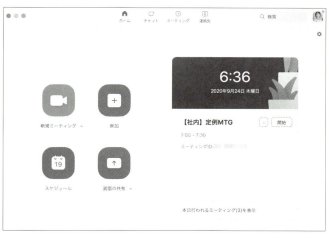

アカウントの有無でZoom PCアプリのインターフェイスは大きく異なります。どちらも複雑な画面ではないので、直感的にわかるでしょう。アカウント登録後はこのような画面になります

ミーティング中の操作（参加者）

2 ミーティングにアクセスできたら、あとはミーティング中の基本操作を覚えるだけです。直感的に使えるものがほとんどですが、スムーズに使えるように確認しておきましょう。

基本操作

　まず、基本の操作です。画面下にアイコンが並んでいます。左側に、自分の声をマイクで拾うか拾わないか、自分の顔を映すか映さないかの選択ボタンが並んでいます。PCにもともと内蔵されているマイクやビデオと別にUSBマイク・ビデオマイク・ビデオを接続したときなど、使用するものの選択肢が複数ある場合には、それぞれのアイコンの横の矢印をクリックして有効にするマイク・ビデオを選択します。また、ビデオの選択肢の中には「バーチャル背景」という機能が含まれています。背景となる画像を選ぶことができるので、部屋の生活感を隠すのに使えますし、例えばビーチの画像にすればリゾート地から配信しているように場面を作り出すこともできます。最近では企業のロゴや名刺のQRコードを表示させてブランディングに使っている人も増えています。ちょっと遊び心のある機能です。なお、詳細は第6講で取り上げています。

　相手の声を自分の側で出力したくない場合は、PC自体の音量をOFFにしてください。反対に、相手の声が聞こえないという場合は、PCのボリュームがOFFになっている可能性があるので確認してみてください。また、右上のボタンで全画面表示の開始・終了と、画面の切り替えができます。画面の切り替えをしたい際には「表示」をクリックしてください。「スピーカー」は話している1人が大きく映る見え方・「ギャラリー」は参加者全員が映る見え方です。

参加者

　画面下部の「参加者」をクリックすると、そのミーティングに参加している参加者の一覧を見ることができます。手のひらのマークは「挙手」で、発言したいときや質問がある場合にクリックして主催者に知らせるなどの使い方ができます。

● 招待

　参加者ボタンをクリックすると「招待」というボタンが出てきて、ミーティング開催中に参加者を追加で招待することができます。招待リンクや招待のコピーをして、追加したい参加者に知らせてあげましょう。

● チャット

　Zoomでは、基本的に映像と音声でコミュニケーションが成り立ちます。対面での会話と同じです。それに加えて、文字でやりとりができるチャットの機能があります。「チャット」のアイコンを選択すると、チャットの画面が開きます。文字を入力し「Enter」キーをクリックすると、他の参加者へチャットの到着が通知され、文字情報を確認することができます。このチャット機能は、全体に向けて発信する以外に、個別で送信することができ、スタッフ同士の指示出しなどで活躍します。参加者同士でのチャットを有効にするか、主催者とのチャットのみに制限するかを、主催者が選択することができます。また、PC同士に限りますが、チャット上でファイルの送信も可能です。資料を事前に送っておかなくても、メール画面を別で開かなくても、Zoomの中で送信できてしまうので便利です。チャットの記録は、テキストデータとしてミーティング終了時に保存されます。保存されない場合はマイページのチェックを確認してください。

📢 POINT

チャットを送信するときには、毎回送信先を確認するようにしましょう。個別で送られてきたメッセージに対しての返事を全体に送信してしまうと、せっかくの個別メッセージが台無しになってしまいます。

「チャット」をクリックすると書き込み画面が出てくる

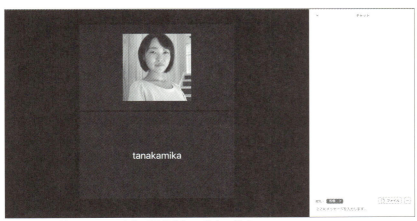
チャットを送るときには宛先(送信先)の設定に注意

●画面共有

「画面を共有」ボタンから共有できるものは、デスクトップ画面と、そのときにPC上で開いているファイルです。そのため、共有することが決まっているファイルは、ミーティング開始前にあらかじめ開いた状態で準備しておくとよいでしょう。もちろん、ミーティングの途中で急に共有したいファイルがあったとしても、ミーティングの終了を

しない限りはZoomは終了しないので大丈夫です（ビデオをONにしている場合は、Zoomの画面を離れている間もその様子が映っているので注意してください）。

　画面を共有するときには、画面下の「画面を共有」ボタンをクリックします。すると、そのタイミングでPC上で開いているファイルが選択肢として表示されます。共有したいものを選択し、「共有」をクリック。自分だけでなく参加者全員に同じ画面が共有されます。ここにペンで書き込みをすれば、それも参加者全員に共有されますし、他の参加者が書き込みすることもできます。「コメントを付ける」をクリックすると、ペンやテキストなどが選択でき、画面に書き込めるようになります。また、主催者のみ、全員分の書き込みをいっぺんに消去することもできます。
　「共有の停止」をクリックすると、元のミーティング画面に戻ります。
　さらにZoomのアップデートにより、複数画面を選択しての画面共有も可能になりました。デスクトップ自体を共有するのではなく複数の画面を選択できるため、より便利になりました。

● **ホワイトボード**
　ホワイトボードは、画面共有の選択肢の中の1つとして表示されます。「共有」のアイコンから「ホワイトボード」を選択。ただこれだけです。画面共有と同様の方法で、主催者も参加者も書き込みができます。
　ペンに加えて、「選択」というものがあります。これは、書き込みさ

れているものを動かす機能です。例えば、参加者全員で意見を書き出した後、場所を入れ替えながら意見を整理して図形で囲むと、図のようになります。例えば、社外のデザイナーとなんらかの企画について話し合うときやなんらかの意思決定を行うときに意見を書き出すことができるこのホワイトボードの機能は大いに役立つことでしょう。

「共有の停止」をクリックすると、元のミーティング画面に戻ります。
　画面共有やホワイトボード表示ができない場合は、主催者が参加者の共有を許可しない設定にしているので、主催者に伝えて画面共有を許可してもらうようにしましょう。

■レコーディング

　レコーディングボタンはミーティングの録音・録画をするためのものです。ただし参加者は主催者からレコーディングの許可を得たときか共同ホストに指定されたときしかレコーディングできません。

● 反応

　Zoomの比較的新しい機能として「反応」があります。手軽にリアクションできるのでぜひ積極的に使ってみてくださいね。最新のバージョンでは6種類の反応をすることができます。

このように大きめのアイコンで反応を示せます

● ミーティングの最小化

　左上の黄色い小さな丸いボタンをクリックすると、ミーティング画面が最小化されます。ミーティング中に資料の編集をしたい・別の作業をしたいというようなときに使える機能です。最小化された画面は好きな場所に動かして置いておくことができます。

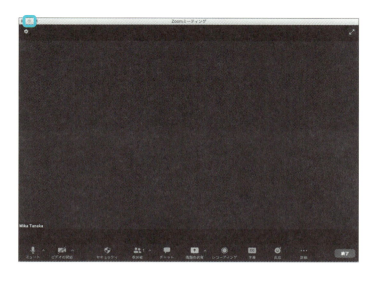

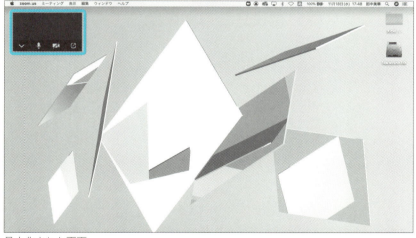

最小化された画面

名前の変更

　ミーティングに入室後に自分の名前を変えることができます。自分の画面の右角をクリックするか、「参加者」のボタンから参加者一覧を表示して自分の名前の隣にある「詳細」をクリックして「名前の変更」を選択してください。

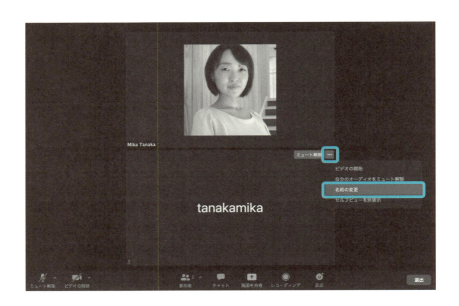

　名前を変更することで主催者側が出席者を把握しやすくなったり、場合によってはニックネームに変更してコミュニケーションを円滑にするのに役立てたりすることができます。

● ブレイクアウトルーム

　ブレイクアウトルームとは、グループワークの機能です。参加者同士の話し合いをする場面はFace to Faceのセミナーならばよくあることでしょう。これが数名〜十数名程度の小規模なセミナーならばなんの問題も起きないのですが、もし数百名規模の大きなセミナーだったらどうでしょうか。誰と話し合えばいいのかわからず、全体の意見もまとまりませんよね。それを防ぐために少人数のグループを作って意見交換することがありますが、ブレイクアウトルームはオンライン上でそれを可能にするのです。大人数を複数の小グループに分けることで、オンラインでありながらまるで本当のセミナーに参加しているかのような感覚を得られます。

　ブレイクアウトルームを作成できるのはホストのみです。参加者はブレイクアウトルームに招待された際に手動で承認する必要がある場合があるので、そのときには「参加」をクリックしてブレイクアウトルームに参加してください。ブレイクアウトルーム内ではメインルームと同様に画面共有やホワイトボード共有ができ、チャットの保存や録画も可能です。「ヘルプを求める」というボタンでブレイクアウトルーム内にホストを呼ぶこともできます。

ブレイクアウトルームのイメージ

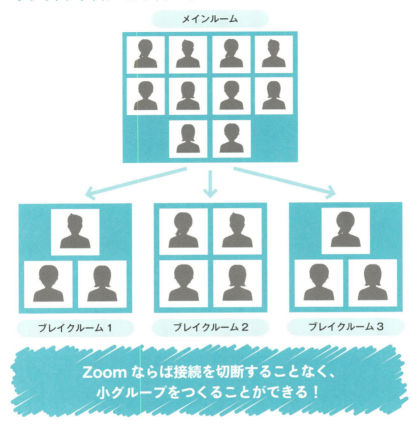

Zoom ならば接続を切断することなく、
小グループをつくることができる！

● 退出

　ミーティングを退出したいときには、画面右下の「退出」ボタンをクリックしてください。

困ったときの対処法

3　よく質問を受ける内容を中心に、困ったときの対処法をまとめます。

音声が聞こえない

　最もよくあるお問い合わせが「音声が聞こえない」というものです。まず確認していただきたいのが、Zoomがオーディオ接続されているかどうかということです。

　接続されていなくても、画面左下のヘッドフォンのマークをクリックすれば、いつでもオーディオ接続可能です。

　オーディオ接続できているにも関わらず音声が聞こえないというと

きには、「オーディオ設定」からスピーカーの出力音量を確認・調整してください。

　それでも音声が聞こえないというときには、PCの音量が下がっている可能性があります。PC自体の音量設定を確認してみてください。

音声が届かない

　自分の声が他の参加者に届いていないという場合には、音声が聞こえないときと同様に左下の「オーディオ設定」にアクセスし、マイクの入力音量を確認・調整してください。

接続が途切れてしまった

　インターネットやデバイスの状況によって、Zoomミーティングの接続が突然途切れてしまうことがあります。これはどのWeb会議システムでも起こり得ることですので焦らずに再接続を試してください。再接続が上手く行かない場合には、インターネットが安定しているか・デバイスの調子が悪くないかを確認してください。

同じ部屋から接続してハウリングしてしまった

　同じ部屋から複数名が同じZoomミーティングに参加するときには、1名だけそのままにして、それ以外の人がオーディオを切断することでハウリングしなくなります。単にミュートするだけだとハウリングが止まらない場合がありますので、必ずオーディオを切断してください。

よく使われるZoom用語を覚えよう

ここで、Zoomを使っているとよく出てくる用語を押さえておきましょう。途中でわからなくなったらいつでも戻ってきてください。

よく使われる用語

●ミーティングID

ミーティングを開催するときの流れとしては、集まる部屋を用意して、そこに参加者を招待するイメージです。参加者を招待するときに必要になるのが、ミーティングIDです。集まる会議室の部屋番号と思っていただければ問題ありません。IDはミーティングごとに発行しますが、IDは複数の種類があります。これは第4講で紹介します。

●ホスト

Zoomでは、ミーティングの主催者のことをホストと呼びます。お互いアカウントを教え合うのではなく、1人が他の人を招待するZoomの仕組みならではの考え方です。

●チャット

Zoomでは、画面で顔を見ながらマイクを通して声で会話をすることができ、これが基本になります。しかし同時に、お互いに文字を送ることが可能です。これがチャット機能です。

●画面共有

1人が持っているエクセル、ワード、パワーポイントなどのファイルや写真、デスクトップ画面などを、他のミーティング参加者が同じよ

うに見ることができる機能です。画面共有は、ホストだけでなく参加者もできます（設定次第）。また共有した画面には、参加者含め全員が書き込みできます。

ホワイトボード

これも画面共有のひとつなのですが、真っ白な画面を共有するイメージです。ホワイトボードはPCとタブレットのみに用意されている機能ですが、スマートフォンでも共有されたホワイトボードを見る・書き込むことはできます。ホストがスマートフォンを使っている場合でも、PCやタブレットを使っている参加者に「ホワイトボードの共有」をお願いすれば、そのミーティング上でホワイトボードを使用することができます。

ブレイクアウトルーム

これもZoomの特徴的な機能のひとつです。グループワーク分けの機能を指します。ミーティング中にホストがグループを作成すると、参加者はそれぞれ割り当てられたブレイクアウトルームに誘導されます。ブレイクアウトルームの数（つまり何グループに分かれるか）は、ホストが決めることができます。このとき、音声や画面が共有されるのは同じブレイクアウトルーム内のメンバーのみとなります。ホストと共同ホストは自由にブレイクアウトルーム間を行き来できますし、参加者が自由にブレイクアウトルームを選択できる設定も可能です。

ミーティングパスワード

セキュリティ対策の強化のために活用する機会が増えているのがミーティングパスワードです。ミーティングIDだけでなくミーティングパスワードも入力しないと会議室に入れなくなります。ミーティングIDとミーティングパスワード両方が含まれた形のミーティングURLから会議室にアクセスすることもできます。

● 待機室（待合室）

　Zoomミーティングにアクセスした人は一旦「待機室」に入れられ、ホストが許可した人だけがミーティングに入ることができるという機能です。例えば申し込み者名簿と照らし合わせながら申し込みがあった人だけ入室を許可していくなどの活用が考えられます。こちらもセキュリティ強化の一貫で、この1年ほどでとくに多く活用されるようになりました。

● 共同ホスト

　ホストができる操作の一部を担うことができるのが「共同ホスト」です。ブレイクアウトルームの作成・操作はホスト権限でのみ可能ですが、それ以外のほとんどの管理者側操作を共同ホストが行うことができます。例えば、「全員ミュート」「録画」「参加者の名前変更」などは共同ホストも行えますので、ホストと役割分担しながらミーティングの運営をすることができます。

● 耳だけ参加

　ビデオは停止、音声はミュートの状態でZoomミーティングに参加することを「耳だけ参加」と呼ぶことがあります。交通機関での移動中に会議に参加する場合や、生活音が入ってしまいそうな状況のときなど、耳だけ参加という形であればなんとか参加できます。基本的にはビデオも音声もオンで参加するほうが活発なZoomミーティングにはなりますが、状況によっては耳だけ参加も試してみてください！

COLUMN　Zoomが作り出す新しいビジネスコミュニケーションの形

●Zoomがビジネスコミュニケーションを一体でソリューション

ZVC（Zoom Video Communications）JAPAN株式会社の佐賀氏は「ビジネスコミュニケーションは、オフィス電話（PBX）、会議室と会議室を結ぶビデオ会議、PCなどを利用して行なうWeb会議といったカテゴリーに分かれ、それぞれがべつべつのプレーヤーによって、べつべつに進化してきた。いずれも、アナログからデジタルになり、それがソフトウェア化し、コストが下がり、クラウドサービス化することで柔軟なサービスを提供できるようになってきた」と前置きし、「Zoomは、Web会議だけでなく、クラウド上から電話機やビデオ会議を使うこともでき、ビジネスコミュニケーションのさまざまなサービスを提供できる」と発表しました（出典：PCWatch）。

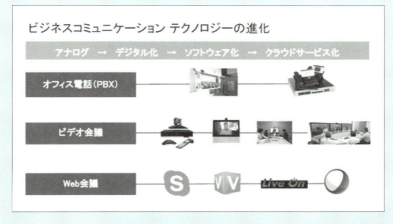

テレワークなどの在宅勤務が日常化する中で、会社のビデオ会議と在宅テレワークのWeb会議が頻繁に繋がることが増えているので、ZoomによりWeb会議から電話、ビデオ会議まで広くサポートする流れになれば、利用者の利便性が高まります。

●専用機器によりさらにWeb会議の質が上がる

Zoomは、日本においても、Web会議システムとして急激に利用者数が増加し、認知度も高まっていますが、Web会議システムとしての普

及戦略をさらに加速させるために、Zoom for Homeと専用機器を投入しました。

Zoom for Homeは、テレワークをサポートする新たなソフトウェアとハードウェア機器を組みあわせた製品で、Zoomのユーザーアカウントで Zoom for Home 対応デバイスにログインでき、追加のライセンスが不要です。そのような Zoom for Home 対応の初の専用デバイスとして開発されたのが、「DTEN ME」です。

27型タッチディスプレイを採用したオールインワン型デバイスで、高解像度ビデオのワイドアングルカメラを3台搭載し、160度の角度まで撮影できるほか、会議や電話におけるクリアな音声を確保するためマイクロフォンアレイを8個装備し、インタラクティブな画面共有やホワイトボード機能などを搭載。ワイドアングルカメラがあるのでビデオ会議の際に画角が狭いストレスも解消され、この機器を自宅に置くだけでオフィス環境が改善されます。

特に私が興味をもったのは、マルチタッチディスプレイにより Zoom のホワイトボード機能をより効果的に活用できることです。スマホやPCでは折角のホワイトボード機能が活かしきれなかったのが、実際のホワイトボードに近づきコミュニケーションの幅が広がります。

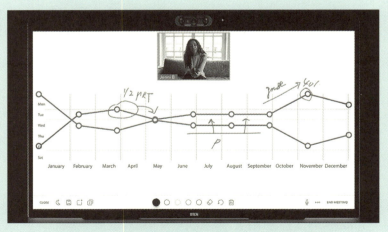

これから沢山のZoom for Home互換機器が増えることで、オンラインによるコミュニケーションの質が高まっていくことが期待できます。

第4講

PCでZoomを
使ってみよう
（主催者編）

4 主催者向け マイアカウントの設定

1 主催者はアカウント取得が必須です。ここでは主催者が確認しておくべきマイアカウントの設定について確認します。

ミーティング

Zoom.usのトップページ右上にある「マイアカウント」をクリックし、左側のメニューの「ミーティング」をクリックします。

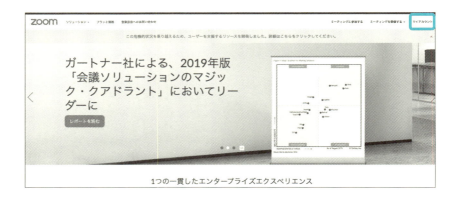

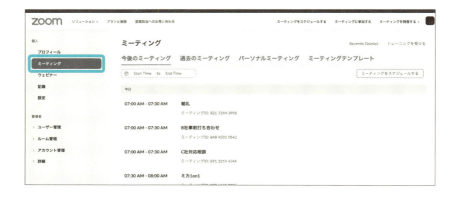

タブごとに説明します。

　まず「今後のミーティング」はこれから予定されているZoomミーティングの予定について確認できる部分です。「過去のミーティング」からは過去に行ったミーティングを確認できます。「Strat time to End time」のところで期間を絞って確認できるのも便利な機能です。右角の「ミーティングをスケジュールする」から新規ミーティングを作成することもできます。

　「パーソナルミーティング」ではパーソナルミーティングIDの情報を見ることができるタブです。

　「ミーティングテンプレート」の部分では1度作成したミーティングをテンプレート保存したものを確認できます。ミーティングのトピック（タイトル）や待機室・パスコードの有無など、好みのミーティングの設定をテンプレート化しておくことができるので便利です。

記録

　「記録」の部分では録画・録音されたZoomミーティングについて確認することができます。クラウド記録したものとローカル記録したものをそれぞれのタブで見られます。

　大事な会議や取材などをオンライン上で行うときはこのレコーディングが大きな助けになります。手書きのメモではメモしきれなかったり、自分で書いておきながら結局なんだったのかわからなくなってしまう、という人は少なくないでしょう。話を聞きつつ、メモを取る自信がないという人はこのレコーディング機能を積極的に使っていくことをおすすめします。

　Zoomのレコーディング機能はミーティング開始時に自動的にスタートさせることも可能です。マイアカウントの設定の「記録」のタブから「自動記録」のボタンを有効にしておくと、ミーティング開始時に自分で操作することなく、常に自動でレコーディングが開始されます。念のためすべてのミーティングをバックアップしておきたいという人はこの機能を使うといいでしょう。

主催者になるなら
有料版がおすすめ

2 準備が整ったらいよいよミーティングの主催です。主催をするホストには、より便利に使える有料版をおすすめします。

有料版がおすすめなわけ

　Zoomの有料版をおすすめする理由はなんといっても、時間制限がないことでしょう。1対1でのミーティングのみでの利用であれば、無料版でも問題なく使えます。また、社内や身内のみでの利用も、40分間で一旦終了し、あらためて集合することで無料版のまま使うことはできます。 しかし、時間を気にせず使える点はやはり重要です。たとえ40分間の商談・セミナーの予定ではじめたとしても、予定よりも長くなることもありますよね。相手から思わぬ質問があり、丁寧に回答をしようと思っているときに時間制限を気にしなければいけなかったり、最悪の場合は途中で時間切れで終了してしまったりするのはよくありません。とくに相手がお客様であったり、参加費を募って行うセミナーの場合は絶対に避けたい状況です。月額2,000円程度でこのリスクを解消できるのであれば、時間制限を気にせずミーティングに集中できる有料版がおすすめです。

有料版の購入方法

　アカウント登録した段階では、アカウントのプランは無料版になっています。有料版に切り替えるには、マイアカウントから購入します。ログインした状態で「アカウント管理」の中の「支払い」を選択すると、現在のプランの情報と「アップグレードしますか？」という誘導

があります。「アップグレード」に進むと、各プランの料金や機能が一覧で表示されます。購入したいプランの「アカウントをアップグレード」をクリックすると、購入画面に切り替わります。

https://zoom.us/billing

https://zoom.us/billing/upgradeAccount?from=basic
購入したいプランを選択する（通常の有料版は「プロ」）

購入の期間は1ヶ月ごと、もしくは年間になります。年間のほうが1

ヶ月あたりの料金は少し安くなります。試しに使ってみるという場合はまずは、1ヶ月分購入するのもよいでしょう。選んだら「続ける」で次に進みます。住所を含む連絡先と支払い方法（カード情報）を入力し、アップグレードをすると購入完了です。

https://Zoom.us/account/billing/buy?plan=pro&subPlan=allSubPlan&type=basic2pro
月もしくは年間での購入を選択し、「続ける」で支払いへ進む

4

今すぐミーティングを
はじめる

3 アカウントを取得し、プロ版にアップグレードしたらいよいよホストデビューです！　まずは一番かんたんなミーティング開催方法からマスターしましょう。

マイアカウントからはじめる方法

　当日、急に集まる場所を確保して「今ここにいるから来てね」と招待するイメージです。マイアカウントを開いてください。右上に「ミーティングを開催する」というボタンがあります。これをクリックすると、ビデオはオン・ビデオはオフ・画面共有のみが選べるので、「ビデオあり」を選択してください。そのまま少し待つだけで、何も準備しなくてもすぐにミーティングがはじめられます。

PCアプリからはじめる方法

　一度ミーティングを開催すると、そのタイミングで自動的にZoomのアプリケーションがインストールされます。デスクトップ（もしくはPC内のどこかのフォルダ）に、ビデオマークのアイコンが表示されていませんか？　2度目以降は毎回マイアカウントを開かなくても、このアプリケーションからミーティングがはじめられます。アイコンをダブルクリックすると、Zoomのアプリが開きます。「新規ミーティング」を1度クリックすると、一瞬でミーティングがはじまります。待ち時間もほぼなし、思い立った瞬間にミーティングがはじめられます。

IDの特徴・注意点

　この方法の特徴は、なにより待ち時間も事前準備もなくすぐにミーティングがはじめられる点です。思い立った瞬間にミーティングを開始し、すぐに参加者を集めることができます。しかし、このIDは一度

ミーティングを終了してしまうと再度使うことができないので、注意が必要です。この方法でIDを取得・ミーティングを開始した場合には、そのミーティングを開いたままの状態で参加者を招待しましょう。開いたミーティングIDを参加者に伝えた後に誤ってミーティングを終了してしまった場合には、そのIDでの開催はできなくなるので、改めてミーティングを開き、新しいIDを伝える必要があります。

おすすめの活用場面

「何も用意していなかったけど急にZoomで打ち合わせが必要になった！」「5分だけ資料共有しながらすり合わせをしたい」そんなときにおすすめです。

事前の準備

不要。
ミーティングをはじめたいそのときに、開始するだけ。

招待のタイミング

ミーティング開催中のみ。
（ミーティングを開始してから終了するまでの間）
開始してはじめてそのミーティングのIDが決まる。

同じIDを使える回数・期間

１度きり。
ミーティングを終了した時点でそのIDは使えなくなる。
次にミーティングを開催するときには別のIDになる。

**手間なし！
その場でパッと集まりたいときに最適！**

4 ミーティングを スケジュールする

4 通常、会議やセミナーを開催するときには事前に会場を用意し、「当日はここに来てくださいね」と前もって案内しますよね。Zoomでも、同様に会場の事前準備ができます。

事前にIDを発行する

　次のセミナー開催のために、会場を押さえましょう。Zoomのアプリケーションの最初の画面で、「スケジュール」を選択します。すると、上から「トピック（ミーティングの名前）、「日付」、「ミーティングID（自動生成or個人ミーティングID使用）」などの設定ができます。ホストと参加者がミーティング開始時に顔を映すか否かを選択します。その他、ミーティングに参加する人へパスワード入力を求める設定や、ビデオやオーディオをデフォルトでオンにするか否かの設定も可能です。

　最後に、連携させるカレンダーを選択します。右下の「保存」ボタンをクリックすると、スケジュール完了です。カレンダーと連携している場合、自動的にカレンダーの画面に飛ぶので、登録をすると同時に反映させることができます。カレンダーへの反映が不要な場合には破棄してしまって大丈夫です。Zoomにはきちんと予定が残っているので安心してください。もうひとつ、スケジュールを作成する段階で「日付」の指定をせず、「定期的なミーティング」というところをチェックすることもできます。この違いについては、後ほど「特徴、注意点」の部分でさらに詳しく説明します。

ミーティングにタイトルが決められるのもひとつのポイントです。また、日時を指定するか、定期的なミーティングとするかで、このIDが使える期限などに違いがあります。ちなみに、マイアカウントからもこの方法でのID発行ができます。マイアカウントの右上の「ミーティングをスケジュールする」をクリックすると、同じようにミーティングの詳細を設定する画面になります。

　あらかじめ作成したZoomミーティングはマイアカウントの「ミーティング」からも確認できますし、PCアプリの「ミーティング」にも一覧表示されます。

IDの特徴・注意点

　この方法で発行したミーティングIDは、ミーティングをはじめるタイミングよりも事前に用意しておける＝参加者に事前に伝えておける、そして「何度でも使える」という特徴があります。日時を指定したIDも、定期的なミーティングとして設定したIDも、スケジュールを作成した瞬間からそのIDでミーティングが開けるようになります。そして、一度ミーティングを終了しても再度、同じIDでミーティングを開催できます。IDを使用できる期間は、日時を指定したものは指定日から1ヶ月、繰り返し設定をしたものは、最後にミーティングを開始してから1年間使い放題です。1年に1度、そのミーティングIDでミーティングを開始する作業さえすれば、永久に使えるといってよいでしょう。

おすすめの活用場面

　まずひとつは、定期的に開催する社内会議や打ち合わせです。毎回IDを新しく発行する必要はなく、「本日の会議、ZoomはいつものIDで開催します」と伝えるだけでよいので、2回目以降は事前の手間がありません。また、セミナーの開催にも最適です。参加者に事前に場所をお知らせできますし、複数回行うセミナーでも同じIDで開催ができます。スケジュールするときにそれぞれのミーティングにタイトルがつけられるので、一覧からも探しやすいです。用途ごとに「繰り返し」の設定でミーティングIDを発行しておくのがおすすめです。

事前の準備

必要。
ミーティングの開催より前に、
日時やミーティング名を設定しておく。

招待のタイミング

事前。※ミーティング開催中も可。
ミーティングをスケジュールした時点でIDが決まるので、
予め参加者に伝えておくことができる。

同じIDを使える回数・期間

回数は無制限。期間の制限つき。
日時を指定したミーティングは、指定した日時の1ヶ月先まで、
「定期的なミーティング」は最後に使用した日の1年後まで。

**準備して安心！
セミナーや会議の種類ごとに用意するのがおすすめ！**

個人ミーティングIDの使い方

4

5 アカウントを作成したとき、実はいつでも使えるあなた専用の会議室が1つ用意されています。この会議室（ミーティング）に仲間を招待しましょう。

個人ミーティングIDの使い方

　個人ミーティングIDは、どこで確認できるのか。すでに見つけていらっしゃる人もいるかもしれませんね。PCアプリの最初の画面で「ミーティング」を選択します。これは、スケジュールしたミーティングを確認するときの画面です。すると一番上に「個人ミーティングID」とあります。これがあなた専用の会議室です。個人ミーティングIDのところへカーソルを合わせると、「開始」というボタンが現れます。ここをクリックすると、個人ミーティングIDでのミーティングがはじめられます。

> **個人ミーティングID**
>
> いつでも使えるあなた専用の会議室のようなイメージ。
> IDを知っている人はいつでも入ってこれる点に注意！

> **普通のID**
>
> ミーティングをはじめるとき、
> その都度抑えるレンタル会議室のようなイメージ。
> 使用期限があるのでそれ以降はもう入れなくなる。

IDの特徴・注意点

　個人ミーティングIDは、いつでも何度でも使える専用のIDで、またタイトルや日時を入れなくても事前に参加者にお伝えできる便利なIDです。ただし、使い方には注意が必要です。

　例えば、私の部屋（個人ミーティングID）に、ある日社内の会議メンバーを招待したとします。別の日に、お客様との面談で同じ会議室を使い、さらにプライベートで家族や友人も招いていたら、どうなるでしょう。一度招待された人はその会議室を知っているので、たまたまURLをクリックしたら家族と過ごしている場合に鉢合わせ、なんていうことが考えられます。この点だけは注意が必要です。

おすすめの活用場面

　よく集まるメンバー用の会議室として使うのがよいでしょう。もちろん、毎回このIDで開催してしまってもよいのですが、前述の注意点も踏まえると、スケジュールしたIDの1つとして扱うほうが安全です。

事前の準備

不要。もともと用意されている「個人ミーティングID」を
選択してミーティングを開始するだけ。

招待のタイミング

事前。※ミーティング開催中も可。個人ミーティングIDは
固定番号なので、予め参加者に伝えておくことができる。

同じIDを使える回数・期間

無制限。同じアカウントを使っている限り
（あるいは有料版へアップグレード後、自分でIDを変えない限り）
いつでも、何度でも利用可能。

**いつでも誰とでも何度でも使える便利な自分の部屋！
ただし教える相手は絞るべき。**

PCでZoomを使ってみよう（主催者編）

4 ミーティング中の操作（主催者）

6 ミーティング中の参加者操作については第3講で扱いました。ここでは主催者側の操作について見ていきます。

主催者操作

基本的な画面の見方は参加者と同じです。主催者側の特別な操作としては、「ブレイクアウトルームの作成と運用」「セキュリティの確認」「レコーディング」「スポットライトビデオ」「ホスト・共同ホストにする」などがあります。

●待機室（待合室）

Zoomミーティングにアクセスした参加者を一度待機室（待合室）という部屋に入れ、ホスト側で許可した人だけをミーティングに招き入れる機能です。参加者が待機室（待合室）に入るとこのように通知されます。

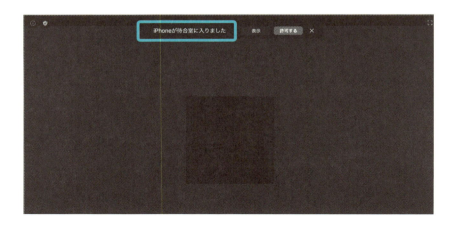

参加者一覧ではこのように表示されます。

「許可する」をクリックすることでミーティングの中に招き入れることができます

ブレイクアウトルームの作成と運用

ホストはブレイクアウトルームの作成を行うことができます。

画面下の「ブレイクアウトルーム」ボタンから、小ルームを作成します。「自動で割り当てる」を指定した場合には参加者がランダムに自動でグループ分けされ、「手動で割り当てる」を指定した場合には参加者を1人ひとり小ルームに割り当てていく作業が必要になります。ホストが部屋を指定するのではなく、参加者が自由に部屋を選択できるようにしたい場合には、「参加者によるルーム選択を許可」を指定してください。

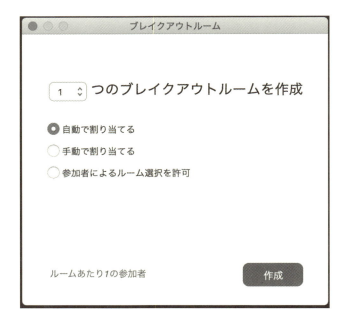

「すべてのルームを開ける」をクリックするとブレイクアウトルームがはじまります。「ルームを追加」はブレイクアウトルームの部屋を増やしたいときに使います。「再作成」をクリックするとブレイクアウトルームの分け直しが行われます。「オプション」（歯車のマーク）をクリックするとブレイクアウトルーム内の設定を変更することができます

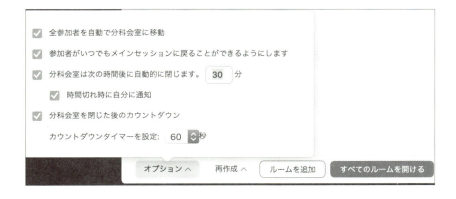

全参加者を自動で分科会室に移動：参加者が操作をしなくても自動でブレイクアウトルームの部屋に移動します。
参加者がいつでもメインセッションに戻ることができるようにします：

ブレイクアウトルームを退出してメインセッションに戻れる設定です。
分科会は次の時間後に自動的に閉じます：ブレイクアウトルームに分かれて話し合う時間をあらかじめ設定しておくタイマーです。
分科会室を閉じた後のカウントダウン：ブレイクアウトルームを閉じた後、参加者がメインセッションに戻るまでに与えられる猶予時間です。

● **セキュリティの確認**

　ホストはセキュリティボタンから各種設定を行うことができます。
待機室を有効化：待機室機能を使うかどうかの設定です。
ミーティングのロック：ミーティングに新しい参加者が入ってこれないようにロックする設定です。
参加者に次を許可：画面共有やチャットなどを参加者に許可するかを設定できます。

■ レコーディング

　レコーディングできるのは基本的にホストと共同ホストです。その他、ホストか共同ホストが録画を許可した参加者のみがレコーディング可能です。Zoomのプロアカウントを持っていれば、PCにレコーディングするだけでなくZoomのクラウド上にレコーディングすることができます。

■ スポットライトビデオ

　ホストは「スポットライトビデオ」という機能をつかうことができます。

　これは特定の参加者を大きく表示させる機能です。すべての参加者に対して特定の1人を大きくスピーカービューで表示できるので、メインの講演者を大きく表示させたいときなどに便利です。

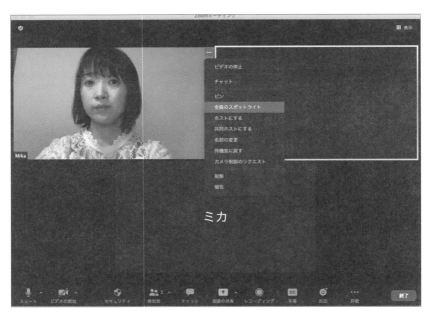

ホスト・共同ホストにする

ホストは自分以外の参加者をホストや共同ホストにすることができます。

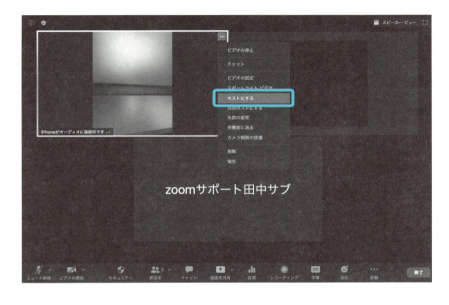

該当の参加者の画面右上角の…をクリックすると「ホストにする」「共同ホストにする」という選択肢が出てくるので、そこで設定することができます。
　また、画面下部の「参加者」ボタンで参加者一覧を表示し、該当参加者の「詳細」から同じ操作を行うこともできます。

● ミーティングの終了

　ホストが右下角の「終了」ボタンをクリックすると、ミーティングを終了できます。「全員に対してミーティングを終了」「ミーティングから退室」の2つから選べるようになるので、そのミーティングを完全に終了してもよい場合には「終了」し、他の参加者にホスト権限を渡して自分だけがミーティングを退室する場合にはそちらを選択します。

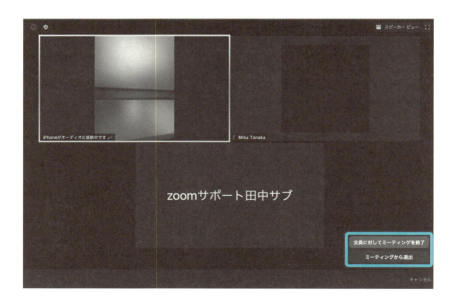

4 複数人で運営しよう

7　Zoomミーティングは1人で運営するのではなくホスト・共同ホストなどの役割を何人かで分担して行うのがおすすめです。

Zoomは複数人で運営する

　Zoomミーティングはできるだけ複数人のメンバーで運営すると安心です。2、3人の少人数でのZoomミーティングであれば1人でZoomの操作をしながら話をしてもよいですが、10名前後のミーティングからは複数人のスタッフで運営することをおすすめします。数十人・100名以上の規模でのミーティングであれば、少なくとも3名程度の運営スタッフを置いたほうがよいでしょう。

　例えばあなたが30名程度のZoomミーティングを主催していると仮定します。もちろんあなたは司会進行をしなければなりません。他の発表者が話しているときにはその発表者のテクニカルなサポートをし、合間で参加者のフォローをし、騒音が入ってしまう参加者をミュートし、出欠も記録し、録画も忘れずに……！　と、やらなければならないことがたくさんで、1人でやっていたらきっとパニックになってしまうことでしょう。

共同ホストができること

　そこで生かされるのが、Zoomの「共同ホスト」という機能です。Zoomミーティングのホストの役割の一部を担うことができる権限で、「待機室に入ってきた参加者の許可」「全員ミュート」「録画」などをホストと同様に行うことができます。

注意事項としては、共同ホストはブレイクアウトルームの作成や操作ができません。「ブレイクアウトルームの操作はホストがやる」ということだけは頭に置いて、役割分担をしてください。

Zoom運営の役割分担例

前述の30名程度の会議で、3名の運営メンバーを置くとしたら、以下のような役割分担はいかがでしょう？　一例としてご提案します。

❶運営メンバー1：司会進行と録画（共同ホスト権限）

基本的にはメインで司会進行をし、話す担当です。Zoomのテクニカル面には重きを置きませんが、録画と何か突発的なトラブルなどがあったときの対応のために共同ホスト権限を与えておきます。

❷運営メンバー2：参加者の対応（共同ホスト権限）

参加者がチャットに書き込んだ質問事項の取りまとめや、Zoomの接続が上手くいかないなど参加者がテクニカル面で困ったときにサポートする担当です。参加者がチャットなどで質問や意見を投げかけたときに反応がないと、参加者の満足度は一気に落ちてしまいます。その部分を全般的に見る担当を置くのもよい方法です。

❸運営メンバー3：ミーティング全体のテクニカルオペレーション（ホスト権限）

ホスト権限を持った運営メンバーは、ミーティング全体のテクニカルオペレーションを担当するのがよいでしょう。ブレイクアウトルームの作成やスポットライトビデオなどホストにしかできないことを中心に、会議全体が円滑に進むためのオペレーションをする担当者です。

4 Zoomのウェビナー機能について

8　Zoomミーティングが広く普及してきた最近では、Zoomのウェビナー機能に挑戦する人も増えてきました。ウェビナー機能とは一体どのようなものなのでしょうか？

「ウェビナー」とは？

そもそもウェビナーという単語には色々な定義があります。元々はWeb（ウェブ）とSeminar（セミナー）を組み合わせてできた造語ですので、基本的にはインターネットを使って行われるセミナーはすべてウェビナー（Webinar）と呼ぶことができるでしょう。Web会議室を使って行われるセミナーはウェビナーの分類に入りますので、ここまでご紹介してきたZoomミーティングを使ってセミナーを開催すれば、それはウェビナーといえます。

Zoomウェビナー機能の特徴

上記のような一般的なウェビナーの定義とは別に、実はZoomのウェビナー機能というものが存在します。

ここまでは、「Web会議」のツールとしてZoomミーティングを取り上げてきましたが、「ライブ動画配信」や「放送」として使うことができるのがZoomの「ウェビナー機能」です。FacebookライブやYouTube Live、インスタライブなどのライブ動画配信は使ったこと・ご覧になったことがあるでしょうか。発信者からの放送を参加者が視聴し、リアルタイムでコメントのやりとりが行われるといった、相互のコミュニケーションが取れるテレビのような機能です。無料で手軽に配信できるようになっていることもあり、いろいろなところで見かけるようになり

ました。Zoomのウェビナー機能は、これらと同様の放送機能です。Pro
アカウント以上のZoomアカウントで使える有料のアドオン（オプショ
ン機能）の中の1つですが、これが非常に便利。通常のミーティングと
同じように相互のやりとりができる100名までの参加者（パネリスト）
に加え、追加の料金に応じて最大10,000人までのオーディエンス（観
覧のみ）を追加できます。招待の方法などはZoomミーティングと変わ
らずウェビナーのIDやURLを参加者に提供するだけです。スケジュール
する段階で、パネリストを指定したり、聴衆にどこまでの権限を与え
るか（質問ができるか）などを設定することができます。これにより、
パネリストを招いた対談形式の講演会が、目の前でなくオンライン上
で、録画された動画でなくリアルタイムで配信できるようになってい
ます。

●Zoomミーティングとzoomウェビナーの使い分け

	ミーティング	ウェビナー
説明	参加者とインタラクティブにやり取りをしたり、小グループに分けてグループワークをしたりしたい場合に理想的です。	一般に公開されている大勢の聴衆やイベントに最適です。通常、ウェビナーの参加者はお互いにやり取りしません。少人数のパネリストによる講演を大衆が聞いているイメージで使いたいときに最適です。もちろん、聞いている人たちは質問やコメントすることも可能です。
最適なシーン	小規模から大規模のグループ（2人以上の参加者）	大規模なイベントや公共放送（50人以上の参加者）
費用	無料〜	プロ以上のZoom有料アカウントにアドオン（月¥5,400〜）をつける

ウェビナーについてはミーティングよりも大規模なイベントに向いているといえます。

また、パネリストと参加者が明確に分かれていて、パネリストのみが画面上に現れるような形ですので、それを念頭に検討してください。

以下Zoomミーティングとzoomウェビナーの比較です。よく見比べて、自分が主催するイベントにはどちらが適切か考えてみてくださいね。

特徴	会議	ウェブセミナー
参加者の役割	・ホストと共同ホスト ・参加者	・ホストと共同ホスト ・パネリスト ・参加者
オーディオ共有	・すべての参加者は自分の音声をミュート/ミュート解除できます	・ホストとパネリストのみが自分の音声をミュート/ミュート解除できます
	・ホストは参加者をミュート/ミュート解除をリクエストできます	・参加者は基本的に聞くだけで声を出さない状態です
	・主催者は、参加時にすべての参加者をミュートするように設定できます	・ホストは1人以上の参加者のミュートを解除できます
ビデオ共有	参加者全員	ホストとパネリスト
画面共有	○	○
容量	無料ライセンスで最大100人、プランと大規模な会議のアドオンに応じて最大1,000人	ライセンスに応じて、最大100〜10,000人の参加者
参加者リスト	すべての参加者に表示されます	ホストとパネリストに表示されます
メール通知	なし	登録が有効な場合
チャット	会議中のチャット	ウェビナーチャット
会議の反応	○	なし

107

非言語的フィードバック	◯	手を上げるだけ
質疑応答	なし	◯
ファイル転送	◯	なし
ホワイトボード	◯	◯
コメントをつける	◯	◯
投票	会議の投票	ウェビナーの投票
ライブストリーム	Facebook、YouTube、Facebookによるワークプレイス、カスタムストリーミングサービス	Facebook、YouTube、Facebookによるワークプレイス、カスタムストリーミングサービス
登録	会議の登録	ウェビナーへの登録
クローズドキャプション	◯	◯
録音	◯	◯
ブレイクアウトルーム	◯	なし
練習セッション	なし	◯
待合室	◯	なし
Paypalの統合	なし	◯
参加するにはパスワードが必要	◯	◯
国際ダイヤルイン番号	◯	◯

COLUMN 初心者向けZoomミーティング主催3つのTips

Zoomミーティングが普及し、これまで主催者側をしたことがない人がZoomミーティングをするという機会も増えてきたのではないでしょうか？ すると必然的に参加者もこれまでZoomに触れたことがない人が増えるので、Zoomミーティングがスムーズにいかない、思わぬ対応で手間取ってしまった……などの経験をした人もいらっしゃると思います。

このコラムでは、Zoomを使い慣れていない参加者を含むZoomミーティングを成功させるためのコツを3つお伝えします。

●Tips1：丁寧に接続方法をインストラクションしよう

Zoomは一度接続さえできてしまえば初心者の人でもかんたんに操作できるWeb会議システムだということはご確認いただけていると思います。はじめてZoomに接続する参加者にとって、最大のハードルは最初の接続です。どのボタンをどのタイミングでクリックするのか？ というのを丁寧にメールなどでインストラクションしましょう。資料を作成して添付するのも1つの方法です（この本を読んでくださった人には特別に、普段私がZoomサポートサービスを提供する際にお送りしている接続資料をご提供します！ 巻末のプレゼントをご覧ください）。

●Tips2：接続確認時間を設けよう

Zoom初心者の最初のハードルを超えるために、接続確認時間を設けるのもおすすめです。できれば前日までに、参加者のための接続確認時間を設けて、「この時間はZoomを開けていますので自由に接続してください」と伝えます。本番当日と同じZoom URLでの開催が望ましいです。何割かの参加者は接続方法がわからない・音声が聞こえないなどのトラブルに見舞われますので、電話などでガイドしてあげてください。そうすることで、本番当日に参加者の皆さんが安心

して参加できますし、主催者側の心配と負担も大幅に軽減されます。前日までに接続確認時間を設けることが難しい場合には、当日の本番の1〜2時間前からZoom会議室を開けておくのがおすすめです。

●Tips3：Zoom以外の連絡手段を確保しよう

Zoom初心者さんの対応で最も重要なのは、Zoom以外の連絡手段を確保しておくことです。メール・チャットなどでもよいですが、おすすめは電話です。Zoomなどのシステムに慣れていない参加者さんに対しては、なるべくかんたんに繋がれる方法を提示しておいた方がよいからです。事前に主催者側の電話番号を参加者の皆さんに知らせておくことで、参加者さんが困ったときにすぐに対応できるので、参加者側も主催者側も安心です。

この3つのTipsを活用すれば、初心者向けのZoomミーティングもスムーズに運営できます。ぜひ試してみてくださいね！

第 5 講

スマートフォンや
タブレットでも
使ってみよう

5

アプリの準備をしよう

1 第2講でスマートフォンやタブレットにアプリをダウンロードしましたね。ここでは追加で確認しておきたいポイントを紹介します。

アプリを最新版にアップデートしよう

スマートフォンやタブレットにダウンロードしたZoomのアプリを最新版にアップデートしましょう。アプリのバージョンが古いままだと不具合が起きることもあります。自動でアップデートされるように設定している場合には不要ですが、そうではない場合にはアプリストアなどを確認してアプリのアップデートを行ってください。Zoomのバージョンについては、Zoomアプリの「詳細情報」から「バージョン」というところを見ると確認できます。

112

音声とビデオのアクセスを許可しよう

スマートフォンやタブレットにZoomのアプリを入れてアクセスしようとしたときに、なぜか音声やビデオが接続できないという場合があります。それはもしかすると、Zoomアプリがデバイスのカメラとマイクにアクセスするのが許可されていない状態かもしれません。

デバイスによって確認する箇所が違いますが、例えばiPhoneやiPadだったら「設定」を開いてZoom Cloud Meetingsのアプリをタップしてみてください。

マイクとカメラのアクセスがオンになっていることを確認してください。これで音声とビデオが機能するようになるでしょう。

113

スマホから
ミーティングに参加する

2 参加者としてミーティングに参加する方法を確認します。

ミーティングIDを入力して参加

Zoomのアプリを起動して、「ミーティングに参加」からミーティングIDやパスワードを入れて入室します。

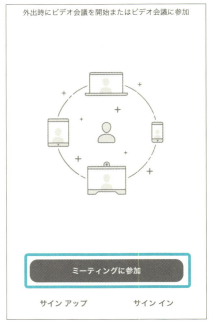
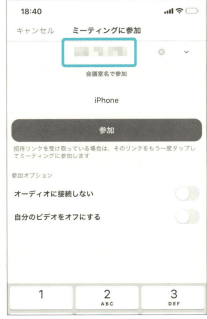

　待機室が設定されている場合には、ホストが許可するまでミーティングに入れません。

Zoomアプリで最初サインインしている場合にはこの「参加」ボタンから参加してください。

ミーティングURLをクリックして参加

　主催者からミーティングIDではなくミーティングURLが送られて来る場合もあります。このような形のURLです（https://us02web.zoom.us/j/**********?pwd=a2R**k**NW***XpMTjdrcGYza3l0dz09）。

　その場合にはそのミーティングURLをタップすれば、自動でZoomのアプリが起動してミーティングに接続することができます。

スマホから
ミーティングを主催する

3 スマートフォンやタブレットからでもZoomミーティング
を主催することができます。出張先や旅行先でのミーティ
ングに最適です。

すぐにミーティングをはじめる方法

まずは、今すぐにミーティングをはじめる方法の説明です。スマートフォン・タブレットとも同じ操作で実施できます。アプリケーションを開き、最初の画面で「新規ミーティング」ボタンをタップします。次の画面でもう一度「ミーティングの開始」をタップすると、ミーティングがはじまります。このとき、「個人ミーティングID（PMI）の使用」の欄はOFFの状態にしておいてください。ミーティングがはじまった後に画面上部中央の「Zoom」という文字をタップすると、下の方にミーティングIDやパスワードなどの情報が表示されています（全画面がカメラの映像になっている場合には、一度画面のどこかをタッチすると「Zoom」という文字が見えるようになります）。これを参加者に伝えることで、その場に入ってきてもらうことが可能です。もしくは、画面右下の「参加者」ボタンをタップすることで、左下の「招待」からも参加者の招待ができます。メッセージの送信を選択するとメール・メッセージの画面に誘導され、本文に招待文が表示されます。あるいは、URLをコピーしてご自身で作成したメール文章とともに送ることも可能です。PC同様、この方法ではじめたミーティングIDは、一度終了すると再度使うことはできません。招待中にミーティングを終了してしまわないよう、注意が必要です。

スマートフォンやタブレットでも使ってみよう

117

事前に準備しておく方法

　次に、スマートフォンで事前にミーティングをスケジュールし、IDを準備してみましょう。こちらもスマートフォン・タブレットとも同じ操作で実施できます。アプリケーションの最初の画面から、今度は「スケジュール」をタップします。すると、PCでスケジュールした際と同じように、ミーティングのタイトルから入力していくフォーマットが表示されます。「繰り返し」設定の中の毎日・毎週・隔週……といった選択肢については、カレンダーに同期する際に反映される情報になります。ですが、Zoom上ではどの設定にしていても好きなタイミングで繰り返し使えるので、あまり厳密に入力する必要はありません。すべて入力したら、右上の「完了」をタップ。これでスケジュール完了です。

事前に予定しておくときは「スケジュール」から設定する　　ミーティングの内容を入力して「完了」をタップ

　スケジュールしたIDを確認するには、アプリケーションの最初の画面の下部「ミーティング」を選択してください。すると、今までスケジュールしたミーティングが一覧になって表示されます。同じアカウントであれば、PCなど別の機器でスケジュールしたものもすべて反映されます。ここで、それぞれのミーティングIDを確認します。

　そのミーティングIDでミーティングを開始したい場合には「開始」をタップするだけ。また、編集・削除・招待をしたい場合にはそのミーティングの欄をタップし、編集なら右上の「編集」、削除なら「削除」、招待文を送りたいなら「招待者の追加」から手段を選択しましょう。

スケジュールしたミーティングは「ミーティング」から確認する

事前にIDが決まるので、参加者に前もって連絡できる

ミーティングを選択するとさらに詳細の確認・変更が可能

個人ミーティングIDを使う方法

あなた専用のIDを使ってミーティングを開きましょう。スマートフォン・タブレットとも同じ操作で実施できます。方法は2種類ありますが、どちらもとてもかんたんです。1つ目は、「新規ミーティング」を選択し、開始する前に「個人ミーティングID（PMI）の使用」を選択するだけ。2つ目は、「ミーティング」のボタンからIDを確認する方法です。これはもう説明するまでもなく、ワンクリックでミーティングが開始できます。

スケジュールを確認するページからでも
個人ミーティングIDを使うことができる

スマホの
ミーティング中の操作

4 デバイスの種類によって少し異なる部分もありますが、基本的なスマートフォン・タブレットの操作は同様です。iPhoneの画面を使って説明します。

基本操作

●カメラの切り替え
インカメラと外側のカメラの切り替えをするためのボタンがこちらです。

●ミュート・解除
左下のマイクボタンで音声ミュートのオン・オフを調整します。

●ビデオの開始・停止
ビデオマークのボタンで映像のオン・オフを調整します。

●画面共有
下部の中央にある共有ボタンから、画面共有ができます。

どの画面を共有するかを選択して表示可能

招待

下部の参加者ボタンをタップすると、このような画面になります。

123

左下の「招待」をタップすると、ミーティングに招待するためのメッセージ作成や招待リンクのコピーができます。

● 反応

　画面下部の右端にある「詳細」ボタンをタップするとこのように反応ボタンが現れます。リアクションをするときに気軽に使ってみてください。

● クラウドレコーディング

　Zoomの有料アカウントの場合には「詳細」ボタンをタップすると、「クラウドにレコーディング」という選択肢が現れます。

● チャット

「詳細」ボタンからチャットをタップすると、テキストでメッセージを送れるようになります。

送信先を選択すれば、全員に向けてではなくプライベートメッセージを送ることもできます（ホストの設定でプライベートメッセージが禁止されている場合もあります）。

● ミーティング設定

「詳細」ボタン→「ミーティング設定」をタップすると、ミーティング中の様々な設定を変更することができる画面が表示されます。これはホストと共同ホストにのみ表示されます。

●ミーティングの最小化

　Zoomに接続しながら別の作業をしたい場合などに便利なのがこの「ミーティングの最小化」です。「詳細」ボタン→「ミーティングの最小化」を選ぶと、このようにZoomの画面が小さくなるので便利です。

●オーディオの切断

　「詳細」ボタン→「オーディオの切断」をタップすると音声が聞こえなくなり、自分の音声も届かない状態になります。これは例えば1つの部屋から複数端末でZoomに接続しているときにハウリングを避けるために使ったりする機能です。

●バーチャル背景

　実はスマートフォンやタブレットからでもバーチャル背景が使えます。「詳細」ボタン→「バーチャル背景」からお好きな画像をセットして楽しんでくださいね！

ブレイクアウトルームに招待されたら

あなたがホストであっても、スマートフォンやタブレットからブレイクアウトルームの操作をすることはできません。ただ、参加者である場合に、ブレイクアウトルームに招待されることがあります。

招待された瞬間に自動でルームに飛ばされる場合もあれば、手動で「参加」をクリックしてブレイクアウトルームに参加することもありますので覚えておいてください。

ミーティングの退出

あなたが共同ホストや参加者の場合、右上に「退出」というボタンが出ます。これをタップするとミーティングを退出できます。

ミーティングの終了

あなたがホストの場合には右上に「終了」のボタンが出ますので、ミーティングを終了するか他の人にホスト権限を渡して退出するかを選んでください。

■スピーカービューとギャラリービュー

　スマートフォンの場合は右にスワイプすることで画面が切り替わり、最大4名が1画面に表示されます。

　タブレット端末ではPCと同じようにギャラリービューとスピーカービュー（現在発言中の人に切り替える）が表示されますので確認してください。

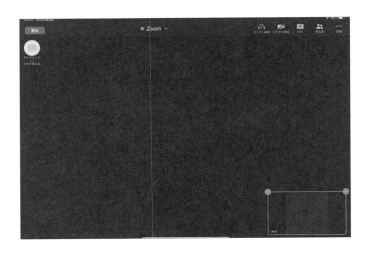

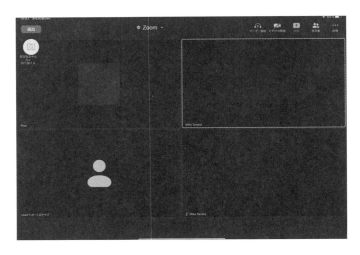

第 **6** 講

ワンランク上の
Zoom の使い方

Zoomの機能を使いこなそう

1 Zoomにはまだまだ便利な機能が豊富に装備されています。どれも一度は試してみたくなる優れものです。

反応ボタンで積極的に参加しよう

参加人数の多いWeb会議では、みんなが自由に声を出して発言したり拍手したりしてしまうと、マイクを通した音声は騒がしくなって聞き取りづらくなってしまいます。そこで便利な機能が「反応ボタン」です。この機能を活用すると、話し手はWeb会議ではわかりづらい参加者のリアクションが得られるのでミーティングを効果的に進行することが可能です。現在、使える反応ボタンは6種類。「拍手」「賛成」「ハート」「ヨロコビ」「開いた口」「ジャジャーン」です。

反応ボタンをクリックすると約10秒間自分の画像の左上に表示されて自動的に消えます。合意の確認をするときには「賛成」、質問があるときは「開いた口」などメンバー内でルールを作っておくと便利です。

ただ、実際に手を上げたり、両手で丸の形を作って賛成を表現するなど身振り手振りを使ってリアクションするのも味気ないオンラインでのミーティングで一体感を演出するには楽しいかもしれません。

画面の明るさを調整して美肌にしよう

Zoomでは映像の照度を細かく調整できます。

リングライトなどの照明機器を使用しなくても、実はビデオ設定を少し調整するだけでかんたんに美肌感が出せるので、在宅勤務でノーメイクの場合などに助かる機能です。

Zoomを立ち上げて「ビデオ設定」を開きます。

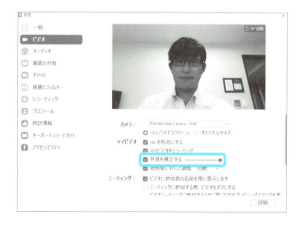

マイビデオの「外見を補正する」のチェックボックスにチェックを入れるとソフトフォーカスの調整が可能になり、被写体を柔らかい雰囲気に映せます。この機能で肌の色合いを調整することで、他の人に

見える自分の映像をより洗練されたものにしてみましょう。

「低照度に対して調整」のチェックボックスは、少し暗い部屋でも映像を明るく修正することが可能です。ここにもチェックを入れて「手動」を選択して明るさを最大にしてみてください。まるで正面からライトを当てているかのように肌を明るく映すことが可能です。

Zoom飲み会ならビデオフィルターを楽しもう

最近ではZoom飲み会などZoomの活用の幅は仕事だけでなく、プライベートのオンラインコミュニケーションとしての利用も多くなっています。そういった場では自分の画像をバーチャルで加工して楽しんでみましょう。

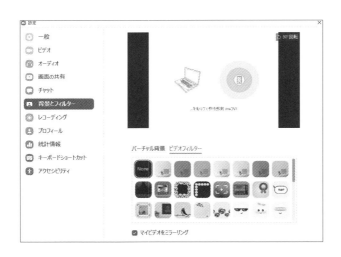

明るさの調整と同じように「ビデオ設定」を開き「背景とフィルター」を選択するとさまざまなフィルターを選択することが可能になります。

フィルターには3つのジャンルがあります。カラーフィルター（白黒・クリーム・セピアなど）・フレーム（劇場・額縁・TVなど）・アク

セサリー（サングラス・マスク・動物など）からお気に入りのアイテムを見つけてミーティングを盛り上げてみましょう。

雑音を消してみよう

Web会議に参加する場所はオフィスやカフェなど環境はさまざま。イヤホンを使う人もいればPCのマイクを使用する人もいます。自分の映像のチェックと同時に、音声も相手にどのように聞こえているか事前にテストしてからミーティングに参加しましょう。

ビデオの設定から「オーディオ」を選択します。ここで「スピーカー」と「マイク」の音量調整のテストが可能ですが、Zoomの設定は最大にしておき、PCやタブレットなど接続している端末のボリュームで微調整することをおすすめします。

また、「マイク」の設定の下に「自動で音量を調整」のチェックボックスがあり、これにチェックを入れると突然の大きな音などを自動で抑制してくれます。ずっと使っていると段々音が小さくなってしまうこともありますので、チェックは外した状態にして話す声とマイクま

での距離を一定に保つのもよいかもしれません。

　さらに自分のいる環境が常に騒がしい場面では、「背景雑音を抑制」の選択を「高」にしてみるのもひとつです。話すときだけミュートを解除するなどの操作も併用することで、相手にストレスを与えない工夫をしてみましょう。

　音の設定には好みもありますので、声が明瞭に伝わっているかどうかはミーティングの最初に相手に確認するようにしましょう。

チャットの文字を大きくしよう

　チャットの文字が小さくて見にくい！　という場合は、ビデオ設定の「アクセシビリティ」を開きます。「チャットディスプレイサイズ」をお好みの拡大比率に設定してみてください。

画面左上のインフォメーションが意外に便利

ミーティング中の参加者の招待には、画面左上にある「ミーティング情報」からURLをコピーすると便利です。

ミーティング中、常に左上に小さく表示されている「i」のインフォメーションマークをクリックすると開催中のミーティングの詳細情報

が表示されます。招待のリンクのところにある「URLのコピー」をクリックすると、情報がクリップボードにコピーされるので、そのままメールやチャットに貼り付けて送信すると、素早く招待できます。

スライドを背景にする新しいプレゼンスタイル

　PowerPointやKeynoteで作成したプレゼンテーションの資料をバーチャル背景として使用できます。

　参加者とセルフビューを非表示にすれば、モニターの画面いっぱいにスライドを表示して切り抜かれた発表者のみがスライドに重ねて表示できます。これを使うと、聞き手は誰が何について話しているのかがとてもわかりやすくなります。

　背景のスライドの上で自分自身の大きさや配置も自由に変更できるので、身振り手振りも交えた表現でそのまま資料のポイントを指さし確認したりとユニークなプレゼンテーションが可能です。

　設定は「画面の共有」のボタンをクリックし、画面上部に表示されている「ベーシック」「詳細」「ファイル」の切替で中央にある「詳細」を選択します。

　「詳細」の中から「バーチャル背景としてのPowerPoint」を選択し表示したいプレゼン資料を開きます。

　そのままだとスライドに重ねた自分とは別に画面上部にも、もう一つ表示されているので「セルフビューを非表示」をクリックして閉じてしまいます。
　スライドに重ねて表示されている自分の画像を大きくしたり、位置を動かしたりするときは、画像をクリックするとフレームが表示されるので四隅のスライドボックスでサイズを調整したり、ドラッグ&ドロップで場所を移動してみてください。

双方向のコミュニケーションとしてのWeb会議ではなく、セミナーなどで是非試してみてください。

登壇される先生はスポットライトビデオで

Zoomの画面は通常、スピーカービューとギャラリービューで表示されます。全員がタイル状に同じサイズで表示されているギャラリービューの状態の画面は誰かが話しをするとZoomが自動的に認識し、その人の画像を中央に大きく表示するスピーカービューに切り替わります。

この機能は複数の参加者が双方向にコミュニケーションを行う通常のWeb会議では大変便利な機能ですが、セミナーや発表会など話す人が1人に固定されている場合には不必要な機能になります。

この自動切換えを停止するのがスポットライトビデオで、この機能はミーティングのホストのみが設定することができます。

2種類の見方

スピーカービュー　　　　　　　　　ギャラリービュー

ホストの画面でスピーカービューで固定したい人の画像の右上に表示されている「…」をクリックします。表示されるメニューリストの中のスポットライトビデオを選択すると、メインとなる話し手の人を中央に大きく固定して表示できます。

似たような機能として「ビデオの固定」がありますが、こちらは自分自身が見ている画面上だけでの設定ですので、他の参加者には影響

しません。

投票機能を使ってアンケートを取ろう

　Zoomには参加者に投票してもらい、アンケート調査が実施できる便利な機能があります。これを使って感想を集めたり採決を取ることも可能です。

　この機能はプロ以上の有料アカウントで、スケジュール済みのミーティングでのみ使用が可能です。

　まずはマイアカウントの「ミーティングにて（基本）」にある「投票中です」の項目をオンにして投票機能を使える状態に設定します。

　次に「マイミーティング」に移動して、既にスケジュール済みのミーティングを選んでください。ミーティングの管理画面の一番下にある「投票をまだ作成していません」の追加ボタンをクリックします。

すると画像のようなアンケートの設問や選択肢を入力する画面が表示されますので各項目を入力して作成してください。

ここで作成したアンケートはミーティング中に表示されているメニューの「投票」ボタンをクリックすると表示できます。

投票の結果はミーティング中にリアルタイムでの共有ももちろん可能ですし、マイアカウントのレポートより結果のデータをダウンロードすることも可能です。

参加者の出席確認もかんたんにできる

Zoomは事前に準備した参加者リストをもとにギャラリービューで出席確認をする必要はありません。

マイアカウントに入り、「アカウント管理」のレポートを開きます。

レポートの中の「使用状況レポート」から「アクティブホスト」を開きます。

次に「詳細レポートを作成」をクリックします。

　ミーティング別にレポートが作成されるので、右端の「ダウンロード」をクリックしてCSVファイルを開くと参加者の入退室のデータを一覧で確認できます。

　正確な参加者リストを作成するコツは事前に参加者にアカウント名を正しく入力してもらうことです。さらに入退室を繰り返すと名前が重複しますので、「使用状況レポート」から「アクティブホスト」を開いた画面の右端にある「参加者」をクリックし、「重複しないユーザーを表示する」にチェックを入れてから一覧を作成するようにしましょう。

Zoomで遠隔操作

　Web会議に限らず活用できそうな機能に「リモートコントロール」があります。
　Zoomで接続している相手のPCを遠隔で操作できる機能で、リモートワークなど、離れたところにいる相手にPCの操作を教えてあげることが可能です。

　まず、Zoomアカウントにログインし、設定の中の「ミーティングにて（基本）」にある「遠隔操作」の項目をオンにしてください。
　Zoomで接続した後、遠隔操作をされる側が操作してほしい画面を「画面の共有」で共有します。

　その状態でタスクバーの「リモート制御」をクリックし遠隔操作する側の人を選択します。これで離れたところから相手のPCを共有画面を見ながら操作することが可能になります。

通訳機能で国際会議

　Zoomの通訳機能はビジネス、エデュケーション、またはエンタープライズのアカウント、もしくはウェビナーアドオンプランなどの有料アカウントでのみ使用が可能です。
　通訳機能と聞くと、Zoomが音声を認識してAIなどが自動で通訳してくれそうなイメージを持ってしまいそうですが、そうではありません。
　ホストが登壇者のスピーチを聞きながら通訳してくれる人を任命し

ておくと、他の参加者は必要に応じて選択した言語で聞くことができるという仕組みです。

設定はアカウント設定で通訳者・参加者共に変更が必要です。

アカウントにログインしたら「設定」の「ミーティングにて（詳細）」にある「言語通訳」をオンにします。

次に「ミーティング」の項目にある「新しいミーティングをスケジュールする」をクリックし、ミーティングIDにある「自動的に生成」にチェックを入れておきます。

さらに「言語通訳を有効にする」にもチェックを入れ、通訳者のアドレスと通訳する言語を設定します。複数の言語の通訳が必要で二人目の通訳者を割り当てる場合は「＋通訳者を追加」で設定を行います。

このような設定をしておくと、ミーティングを開始したときにタスクバーに「通訳」のボタンが表示されています。参加者の人は必要な言語を選択してください。
　これで通訳者にはスピーチされている元の音声が聞こえ、参加者には選んだ言葉の通訳者の声だけが聞こえるようになります。

セキュリティの不安を解消しよう

　Zoomはバージョンアップを繰り返し、さまざまな対策を講じてきました。その中でセキュリティ問題は解決されています。常に最新のバージョンに保ち正しい設定を行うことでトラブルを回避しましょう。今後もセキュリティ対策は日々進化していくと思われますが、今すぐできる基本的な対策をおさえておきましょう。
　1つ目はZoomへの招待のURLの扱いには送る側も受け取る側も注意することです。参加者以外の人にメールで共有したり、誰でも見れてしまうSNS上などにアップしてしまったりすることで、いわゆる「Zoom Bombing」といわれる部外者による荒らし行為の原因を作ってしまいます。
　また、最近ではZoomのURLをまねた偽の招待メールを配信し誤ってクリックすると悪質なサイトに誘導されたり、情報を抜き取られたりするなどの詐欺行為もあるようです。受け取る側も送信者名や張り付

けてあるURLが正しいものであるか確認してから接続するように心がけましょう。

　2つ目は、待機室の機能を使うことです。こちらもバージョンアップにより、初期設定で予め機能がオンになるように変更されたので、既に使用されていると思います。主催者は参加者に一旦待機室で待ってもらい、許可した人だけに入室してもらうことで部外者への情報漏洩や荒し行為を阻止することが可能です。

　上記以外にもマイアカウントの設定を切り替えることで、さまざまなセキュリティの強化を図れます。例えば社内でしか利用しない場合は、特定のドメインのメールアドレスでしか入室できないようにすることも可能です。

　他にも、入室時にはパスワード入力を必須にする設定もありますし、認証アプリを利用して限られた時間内にだけ使用できるワンタイムパスワードを活用した2要素認証を設定することも可能です。

ワンランク上のＺｏｏｍの使い方

147

アプリ連携で
さらにレベルアップ

2 Zoomは外部のソフトウエア・サービスと連携することで
更に便利に使うことが可能になります。

他のソフトウェアとの連携がより便利さを生む

ZoomをZoomだけで終わらせるのは少々、もったいないといえるかもしれません。便利なものをより便利に使うために、他のサービスとも連携させましょう。

いろいろと組み合わせて使うとなるとちょっとむずかしそうだな、と感じられるかもしれません。ですが、コンピューターにおいての連携はとくに複雑なものではありません。日頃、私たちの多くはスマートフォンを使ってニュースを見たり、音楽を聴くなどしています。ブラウザに表示されたYouTubeのリンクをタップすると自動的にYouTubeの専用アプリが立ち上がるように自動的に設定されていることが多いと思いますが、これも連携の一種といえます。

Zoomもこれと同様にWebカレンダーからミーティングをスケジュールしたり、チャットアプリからZoomを立ち上げてミーティングをスタートするなど、多数の組み合わせが用意されているのです。便利なもの同士を組み合わせれば、より便利に使いこなすことができます。

ブラウザと連携する

Zoomが連携できるソフトウェアはチャットなどのコミュニケーションツールだけとは限りません。Zoomはブラウザと連携することも可能です。連携可能なブラウザは拡張機能が使用できる、Chrome、FireFox

に限られますが、それらを使用することで、Googleカレンダーを使用してZoomのミーティングをセッティングしたり、ミーティングの日程や時間を変更することができるようになります。その人によりけりといったところかもしれませんが、普段からZoomを立ち上げておくという人が全員とは限りません。しかし、ブラウザなら大体の人は常時起動しているのではないでしょうか。スケジュールを変更するのに、わざわざZoomを立ち上げなくても、すでに立ち上がっているブラウザから操作できるのは便利です。

「ブラウザ拡張機能」を選択するとZoomダウンロードセンターへ移動します。

今お使いのブラウザを選択すると「Zoomスケジューラー」がダウンロードできるストアに移動しますので、ここからダウンロードしてください。

　例えばChromeを例にとると、Zoomの拡張機能がChromeに入るとChromeのインターフェイス右上に、小さな青くて丸いアイコンが追加されているはずです。このボタンが連携機能の起動ボタンになっており、クリックするとZoomへのログインを求められます。ここにご自身のIDを入力してログインしましょう。

　ログインして青いアイコンをクリックするとダイアログが出てきます。一番上にはあなたのアカウントが表示されます。下に並んだボタンは、Schedule a Meeting（ミーティングを予約する）と、Start a Meeting（今すぐミーティングを開始する）のボタンがあります。

Schedule a Meetingを選択します（初回だけセッティング画面が表示されます）。

　今度はGoogleカレンダーからの設定になります。日付の設定を行い、右側の「ゲストを追加」に招待したい人を追加しましょう。必要な設定が済んだら画面上部の検索ボックス横の「保存」をクリックします。そうするとあなたとゲストのGoogleカレンダーにZoomの予定が追加されます。最低限、日時、参加者（ゲスト）を設定すればミーティングのスケジュールは完了します。リマインダーの設定などは必要に応じて行うようにしてください。

連携で便利さは無限大

　Zoomとブラウザの連携はほんの一例にすぎません。ITに造詣の深い上級者であれば、スマートフォンのアプリを利用してより便利な使い方を思い付けるかもしれません。
　アイデア次第でZoomはどこまでも便利に工夫できるでしょう。
　また、Zoomのウェブサイトでは「統合」についての紹介がされています。こちらもまた、Zoomの連携のひとつです。

連携相手はブラウザのみじゃない

　前述のZoomとブラウザの連携を活用すれば、よりZoomをアクティブに使いこなしていけるでしょう。Zoomオフィシャルサイトのマイページの左側のメニューバーにある「統合」を選択します。そうすると、Zoomが連携することができるウェブサービスやソフトウェア一覧が並ぶ「Zoomアプリマーケットプレイス」へ移動できます。ここであなたが普段使い慣れているサービスとZoomを結び付けたり、Zoomの機能だけでは足り合い部分を補えるアプリを追加して、よりミーティングを充実させることが可能になります。

アプリを連携させて字幕機能の活用

　Zoomの優れた機能のひとつに字幕表示があります。例えばマイクのトラブルなどで参加者に音声が届けられない場合や参加者側が音声を出せない環境にいるなどの場合、聴覚障害のある参加者がいる場合などに役立ちます。それ以外にもメインスピーカーの話に補足として別の担当者が情報を表示したりすることも可能です。

　使い方は、①話し手が自分でタイピングする、②タイピングの早い別の方を担当に割り当てて聞きながら文字入力してもらう、③サードパーティー（Zoomと互換性のあるソフトウエアやアプリ）を使って音声認識で自動で文字化するという3つの方法があります。

　それでは①から順に使い方を解説していきます。

　まずはZoomのウェブポータルでアカウントの設定を変える必要があります。ログインしたら「設定」の「ミーティングにて（詳細）」を選択し「字幕機能」の項目をオンにします。

　アカウントの設定を変更するとZoomの画面のタスクバーに「クローズドキャプション」のボタンが表示されるのでクリックすると先程の3つの使い方が選べるボタンが表示されます。

「参加者をタイプに割り当てる」を選択するとミーティングに参加中のメンバーの一覧が表示されます。この中から適任の人を選んでください。

「私が入力します」を選択した場合には自分の画面上にクローズドキャプション（字幕）のウインドウが表示され、入力が可能になります。

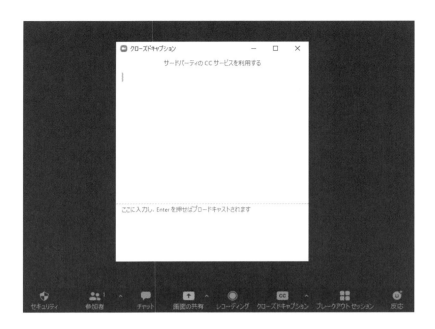

　最後に外部ソフトウエアを使用して音声認識を使って自動の文字入力を行う方法として「UDトーク」というスマホアプリを使用した例で解説していきます。UDトークはiOS・Android共に利用できる、会話の見える化アプリです。こちらをまずはダウンロードしてください。
　アプリを開いて「トークをはじめる」をタップしたあと右上にある「メニュー」を開いてください。

　次にメニューの中の「外部字幕サービス連携」を開き「字幕を送信する」をオンにします。その下にある「字幕サービスAPIトークンをペーストしてください」の欄にZoomのクローズドキャプションの「APIトークンをコピー」のボタンでコピーしたものをそのまま貼り付けてください。

　ここまでの設定が完了したらトーク画面に戻り、「タップして話す」ボタンをクリックして音声入力を行い適度な長さでトークを終え、「タップして終了」をクリックすると音声が文字に変換されます。

　アプリで表示されている字幕をZoomの画面上でも表示するには、クローズドキャプションのボタンの右側にある∧をクリックして「サブタイトルを表示」に切り替えてください。「サブタイトルの設定」で字

幕の文字サイズなど好みの表示に詳細設定が行えます。

　設定が正しく行えていれば、文字に変化されたトーク内容はスマホのアプリ上に表示されるものと同様にZoomの画面上にも表示されるはずです。

「字幕のシーケンス番号をリセット」について

　Zoomはトークの開始を0として字幕を順番に番号で認識しています。新しいミーティングを開始する際は、「字幕のシーケンス番号をリセット」ボタンで0に戻してください。

字幕のシーケンス番号をリセット

同じAPIトークンでミーティングを開始したときは0で始まるようにリセットをしてください。APIトークンが変わったときは自動的にリセットされます。　リセット

カメラ2台と連携して
オンラインレッスン

6

3 Zoomの画面共有の機能を使えば、1人で2つのカメラの映像を配信することができます。

1人で2カメに挑戦

　Zoomには「第2カメラのコンテンツ」という機能があります。これはZoomでミーティングに接続しているデバイスにもう1台のカメラをつなぐことで、接写カメラやOPH（オーバーヘッドプロジェクター）のような使い方が可能になります。

　例えばオンラインでのピアノレッスンや料理教室などお互いに顔だけでなく手元を映したり、画像を切り替えたいときに1台のカメラだけだと何かと不便です。

　スイッチャーという機材を追加して2つの映像を切り替えるのもひとつですが、Zoomでは2つの方法でかんたんに解決が可能です。

　まず、1つ目は2台の端末でミーティングに接続する方法です。1人でホストとなるPCでミーティングを開始し、スマホやタブレットなどもう1つ別の端末でも参加します。

　この状態で生徒さん（参加者）にはスピーカービューに画面設定しておいてもらい、ホストである講師は「スポットライトビデオ」を使って見せたいシーンを中央に大きく表示させます。

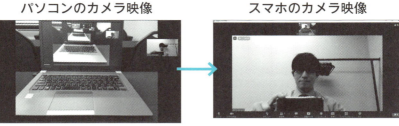

| パソコンのカメラ映像 | スマホのカメラ映像 |

スポットライトで
映像を切り替え

2つ目は端末にもう1台のカメラを接続する方法です。カメラのついていないPCの場合は、2台のカメラを接続します。

この状態でミーティングを開始して「画面の共有」を開き上部にある切替で「詳細」を選択します。

その中に「第2カメラのコンテンツ」があるのでこれをクリックすると、接続した2台のカメラの映像を同時に映すことが可能です。

参加者には「左右表示モード」を使ってもらい、ホストの2台のカメラの映像が中央に大きく2分割されて表示されるようにしてもらいまし

よう。

　もう1台のカメラとしてWebカメラを追加で購入するのもいいですが、お持ちのスマートフォンのカメラをWebカメラとして使う方法もあります。
　最近のスマートフォンのカメラはとても高性能なので、第2カメラとしての使い方だけでなく、きれいな画像が必要なときにも使えます。
　アプリは沢山リリースされていますが、NDI HX Camera と iVCamなどがおすすめです。

　例えばiVCamならPCとスマートフォンの両方にアプリをインストールします。インストールが完了するとZoomの「ビデオの開始日時」の横の∧のボタンをクリックすると、カメラの選択ができるようになっておりリストの中から「iVCam」を選択してください。

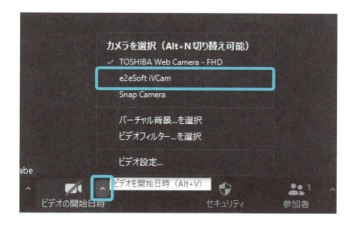

　PCとスマートフォンが同じWi-Fiに接続されている場合、両方を起動すると自動的に連携します。
　無料でもiVCamは使えますが、有料版だと広告やロゴを消すことが可

能です。いずれも上手く活用すればコストをかけずに魅力的なレッスンが可能になるかもしれません。是非試してみてください。

　また、有料のツールではありますが、Zoomと連携してオンラインレッスンやイベントへの予約、決済、受講までできるようになるCoubic（クービック）というサービスもあります。このような便利なサービスと連携し、Zoomを軸にさまざまな効率化を目指してみてはいかがでしょうか。

Zoomで動画を配信する

4 Zoomを使って、ライブで大規模なセミナーを開催したり、有料の動画コンテンツを配信したりしてみましょう。

動画の配信方法は3種類

動画を配信する方法は大きく分けて「ライブストリーミング配信」と「オンデマンド配信」、「ダウンロード配信」の3種類があります。

それぞれの配信方法にはメリットとデメリットがあるので、目的にあった使い分けをすることをおすすめします。それでは、順番に特徴を解説していきます。

ライブストリーミング配信

YouTubeライブやFacebookライブなどでよく知られる「ライブストリーミング配信」は、今撮影している動画をインターネットを使ってリアルタイムに配信する方法です。Zoomを使って行われているセミナーやレッスンをそれらのツールを使って配信することで不特定多数の人達に見てもらうことも可能となります。広い場所も必要とせず、わざわざ参加者に会場へ足を運んで頂く必要もなくなるので、コストの削減だけでなく今まで大変だったセミナーの集客や会員の確保がはるかに容易になります。ただこの配信方法の場合、配信する側も視聴する側もオンライン環境が必要不可欠となります。しかし、ライブでの配信は生放送ですので、後に出てくる動画コンテンツとは異なり、参加者との双方向のコミュニケーションが可能で、即時性による一体感やライブならではの臨場感を得られます。

165

オンデマンド配信・ダウンロード配信

　ライブストリーミング配信と異なり、既に作成した動画を配信する方法として「オンデマンド配信」と「ダウンロード配信」の2種類があります。

　「オンデマンド配信」はYouTubeやニコニコ動画などで知られる動画配信サービスを利用し、データをダウンロードしながら再生する方法です。

　「ダウンロード配信」は自分のPCやスマートフォンに一度動画データを保存してから再生する方法です。

　いずれの方法もライブとは異なり、しっかり動画を編集して完成度を高めたものを配信することが可能で、視聴する側もいつでも見たいタイミングで見られるというメリットがあります。

　「ダウンロード配信」の場合は、一度データを自分のPCに保存しておけば、インターネット環境にいないときも見ることができます。

	ライブストリーミング配信	オンデマンド配信	ダウンロード配信
ライブ配信	○	×	×
オフライン再生	×	×	○
動画の保存	×	×	○

Zoomでライブストリーミング配信してみよう

　Zoomでライブストリーミング配信をするには、ミーティングまたはウェビナーの有料プランのアカウントが必要です。

　ウェブアカウントにログインしたら「設定」の中の「ミーティングにて（詳細）」にある「ミーティングのライブストリーム配信を許可」をオンにします。

あとはミーティングの画面にある「詳細」をクリックして配信するツールを選択するとスタートします。

リアルと配信を併用したハイブリッド型が人気

かつてのようにひとつの会場に多くの人を集めてのセミナーなどは今は敬遠されているので、ライブとオンラインの両方のメリットを活かせるハイブリッド型が大変人気です。

オンラインでZoomに接続する安定したネット環境が確保できない人や有名講師の人のお話はやっぱり生で聞きたい人など、リアルな現地開催のニーズも少なくありません。

また、登壇される講師の人もカメラだけを前にスピーチするより、数人でも目の前に人がいてリアクションがある程度見える方が格段に話しやすいとの感想もよく聞かれます。

　最近ではセミナーに限らず、授業や株主総会などもハイブリッド型での開催が多く行われています。是非、Zoomの機能を最大限活かしてチャレンジしてみてください。

共同ホストを配置してスムーズな大規模セミナー

　参加者の人数が多くなるなら、運営するスタッフの人数を増やしましょう。そうすれば、ミーティングをスムーズに進められます。

　Zoomの有料版には「共同ホスト」という機能があり、アカウントを持っているメインの管理者は別の参加者にも管理機能の一部を委譲することが可能です。

　例えば入室許可や強制退出なども可能になるので、不特定多数の参加者がいる場合、あらかじめ作成した出席リストと照らし合わせながら出欠管理する専門の担当者を任命することもできます。

　他にも、レコーディングの管理や参加者のマイクを強制的にミュートにしたり、参加者名の変更制限や字幕機能を使用できるようになり

ます。

　ブレイクアウトルーム中の各ルームへの自由な入退室も可能になるので、各グループのワークの巡回を数名のホストで行うことでより充実したディスカッションが可能になることでしょう。

　ハイブリッド型での開催や大規模セミナーなどは、想定外のトラブルもつきものです。突然の回線遮断への対処、Zoomに不慣れでうまく入室できない人の対応窓口などもあらかじめ検討しておきましょう。

最新の周辺機器と便利なツール

Zoomに最新の機器を合わせると、オンラインの世界はよりリアルに近づきストレスは軽減されます。ニーズに合わせておすすめの周辺機器をご紹介致します。

Webカメラ

PCにはもともとWebカメラがついているものも多いですが、より映像のクオリティーにこだわりたいときや前述の第2カメラが必要なときなどは、検討してみてはいかがでしょうか。

● **Logicool ロジクール C925e WebCAM HDウェブカメラ C925E**
https://www.logicool.co.jp/ja-jp/product/c925e-Webcam

ZoomだけでなくあらゆるWeb会議ツールに対応したWebカメラです。オートフォーカスで高画質・高音質。78度の広い画角とユニバーサルクリップでモニターだけでなく三脚にも対応。ビジネスシーンでも安心です

● **サンワサプライ ビデオ会議用カメラ 400-CAM072**
https://direct.sanwa.co.jp/ItemPage/400-CAM072

こちらは発言者の声を感知してカメラで追ってくれる自動追尾機能内蔵カメラです。4つのマイクが全方位推奨3mの範囲をとらえてくれるので「オンラインでの参加者はメイン会場で今誰が話しているのかがわかりにくい」という問題を解決してくれます

JabraPanaCast
https://www.jabra.jp/business/video-conferencing/jabra-panacast

ジャブラのパナキャストは3つの4Kカメラが内蔵された180℃パノラマ撮影に対応する世界初のWebカメラで、あらゆるシーンに対応します。インテリジェントズーム機能は、自動で参加者全員を認識しベストな画面サイズに収めてくれます

ソースネクストMeeting OWL
http://meetingowl.jp/

オウルは360°カメラ、マイク、スピーカーが一体型となった先進の会議室用カメラです。会議テーブルの中心にセットすればカメラ・マイク・スピーカーが360℃に対応し、AIが発言者を自動認識してくれる優れものです

ワンランク上のZoomの使い方

171

マイクスピーカー

これまでで紹介したものも含め、多くのWebカメラにはマイクが内蔵されていますし、PCにもマイクスピーカーはありますが、複数の人が話す会議の場には不向きです。また、オールインワンの一体型だと映像は別の場所から撮影したい場合に対応できないので、専用のマイクスピーカーが必要になる場面もあります。

Jabra Speak 510
https://www.jabra.jp/business/speakerphones/jabra-speak-series/jabra-speak-510##100-43100000-40

1~4名程度の小規模会議に最適なBluetooth搭載スピーカーホンです。小型で携帯性に優れているうえ、バッテリー内蔵で配線無しでも使用可能。デスクに置いても邪魔になりません。直観的な操作が可能な各種ボタンとエコーキャンセラー、DSPなどを搭載し、雑音のないクリアな音声を会議参加者の双方へ届けます

YAMAHAユニファイドコミュニケーションスピーカーフォン YVC-330

https://sound-solution.yamaha.com/products/uc/yvc-330/index

ヤマハのYVC-330は「SoundCap」モードを搭載しており、オープンスペースでも周りの雑音を気にせず打ち合せが可能です。卓越した音質と豊かな音量で、6名程度の中規模会議に最適です。2台の連結も可能で更に大きな会議の場でも活躍します

エレコム マイク USBマイク 切り替えスイッチ付き ブラック HS-MC05UBK

https://www.elecom.co.jp/products/HS-MC05UBK.html

数十名を超える人数が口の字型に配置された机でそれぞれが発言者になるような会議では、広範囲の音を拾う全指向性のマイクではなく、このような単一指向性のマイクを個別に配置して集音するほうがオンライン参加者にはクリアに聞き取れます

173

動画を配信する

　会議以外にもセミナーやレッスンなどを撮影してZoomでオンライン配信する際に便利な周辺機器をご紹介します。ちょっとした演出の工夫やこだわりの機器で、映像のクオリティーは各段にアップします。

●背景布 緑 クロマキー 撮影用 グリーンバック 200×300cm

Zoomにはもともとバーチャル背景の機能があるので、グリーンバックが無くても背景は切り替えることができますが、ビデオ設定の「バーチャル背景を選択」にある「グリーンスクリーンがあります」にチェックをいれて背景布を準備すると、格段にきれいな切り抜きが可能になります。とくに自分の顔の周りや手先など細かい部分はこのようなクロマキー処理用の背景布があると美しく仕上がります。同じ色の部分は切り抜かれてしまうので、服や机の上のアイテムと被らないような色にしましょう

●撮影用照明機材セット ソフトボックス 50×70cm 1500W

照明機材も今ではとても購入しやすい価格帯のモノが豊富にそろってきています。バーチャル背景と同じように、映像の明るさもZoomの設定で調整は可能ですが、やはりこのような照明機器を配置してZoomのライブ配信を行うとより美しい映像が撮影できます

録画・配信用コンパクトHDMIキャプチャカード
https://www.elgato.com/ja/gaming/cam-link-4k

Webカメラではなくビデオカメラで撮影したデータは、このようなキャプチャーカードやキャプチャーボードと呼ばれる変換機でPCに送ります。ライブ配信などの場合には必須のアイテムです

Roland ローランド HD VIDEO SWITCHER V-1HD
https://proav.roland.com/jp/products/v-1hd/

スイッチャーは複数台のカメラの映像の切替や資料スライドの画面の表示などの動画撮影時の演出を行うためのコントロールパネルです。複数のマイクの音声をコントロールするミキサーがついたものやモニターも内蔵されたものなど、用途に合わせて各メーカーからさまざまなラインナップが用意されています

COLUMN　Facebookイベントに「オンライン」が追加に！

働き方・学び方・遊び方など生活のあらゆることが次々にオンライン化されていった2020年。Facebookイベントにも「オンライン」という選択肢が現れました。

Facebookでイベントを作成すると、オンラインでの開催かオフラインでの開催かをまず選択するようになりました。
オンラインを選択すると、場所としてFacebookライブか外部リンクかを選べるので、この外部リンクのところにZoomのURLを貼ればかんたんにZoom開催のイベントを告知できます。

ZoomをFacebook Liveに接続して配信するという使い方も、SNSで多くの人にリーチしたいときにはおすすめです。
以前のFacebookイベントはオフライン開催を前提としていたので、オンラインイベントを告知したいときには詳細の欄にZoom URLを貼るなどの方法で知らせていました。この方法ではオンライン開催であるということが伝わりにくく、「どこでやるのですか？」という質問が来てしまう……なんていうこともありました。現在のFacebookイベントではそんな心配は不要です。Zoomでのイベントを告知するときには、ぜひFacebookも使ってみてくださいね！

第 **7** 講

Zoomが起こした
社会革命

Zoomで変わった社会

1 オンラインミーティングが日常になると、働き方生き方すべてが変わります。Zoomを導入した多くの人々の事例を参考にしながら、Zoomの可能性を探りましょう。

未来が急に現れた2020年

　私達にとって忘れられない年が2020年です。新型コロナウイルス（COVID-19）のパンデミックによって、世界中がオンラインによるリモートワークに移行しました。

　その影響は、Zoomの利用者が2019年12月に1000万人だったものが、わずか4か月後には3億人と30倍になったのです。Google、マイクロソフト、SISCOなどの巨大企業も次々とZoomの対抗サービスを出した年でした。日本国内では2017年頃から個人を中心に広がりつつあったZoomですが、学校の教育現場や、大手企業のオンライン会議でも日常に使われだしました。急激なシェア争いは各社の機能アップ競争となり格段に使いやすくなったことでオンラインで打ち合わせが当たり前の未来が一気にやってきたという感じです。

不可能だった仕事術が誰でもできる

　ここで登場する人々は、Zoomを仕事に取り入れて試行錯誤をした結果、使い方を工夫してZoom以前は不可能だった仕事術を今では当たり前に行っています。そんなZoomの持つポテンシャルの活かし方を開示してくださいました。例えば、女性起業家の人は教育事業が少しずつ軌道に乗りつつあるタイミングで、はじめてのお子さんを授かり、出産後の働き方で悩んでいました。一度軌道に乗った事業を1年間止める

べきかと思いながらも出産が迫り、決断のときが来たのです。それから半年後……1ヶ月100件のZoomミーティングやZoom講座を行い、過去最高益になったばかりかその内容をZoomで記録してコンテンツにしています。Zoomが無ければ不可能だったことは明らかです。またある人は大規模な全国規模のフェスをZoomで実現しています。

Zoomの周辺にはビジネスチャンスがある

リモートワークに対しての課題も変わりました。それまでは「この仕事はリモート化しても大丈夫か」「誰にリモートを認めるのか」「情報漏洩対策はできるのか」というような、リモートワークに取り組む手前の議論だったものが、政府方針の新型コロナウイルス対策として「企業のリモートワーク率70％」の目標が設定されたことにより、強制的にリモートワークを前提にした働き方の課題が浮かび上がりました。その課題とは、リモートワークができる環境の整備です。狭い自宅では問題も多く、かといってカフェでは周囲の人に迷惑がかかるし、セキュリティに不安があります。そこで新たな社会課題としてZoomなどのオンライン会議がしやすい場所が必要になりました。私たちの貸会議室アットビジネスセンターでは常々Zoom利用者のサポートを無料で行ってきましたので、その人々向けに「ひとり会議室®」というオンライン会議ができる場所を提供したところ、わずか半年で利用者が昨年比8倍になりました。また、Zoomを利用したオンラインセミナーの運営サポートのサービスをはじめたところ、中堅大手の企業から注文が殺到したのです。まさにZoomは個人も企業も働く人すべての人々の働き方を変える存在になりました。Zoomを活用する新サービスには、大きなビジネスチャンスが到来しています。

Zoomユーザーたちの声

2 説明だけではZoomを使った実感は中々掴み取れないかもしれません。そんなあなたのためにZoomユーザーたちからの生の声が届きました。

協会ビジネス　コンサルタント
一般社団法人キレイデザイン協会　理事長　大沢清文

女性が、自宅に居ながらオンライン講師という働き方ができることで、結婚・出産・育児を行いながら仕事でも活躍できる場が増えました。

利用目的　オンライン講座での集客・販売・会員へのサービス提供、協会の会員さんへオンラインで継続的な講座のサービスを提供しています。
チームを作って、自分がわかることは応援しわからないことは教えあうためのコミュニティを作っています。

よく使っている機能　ブレイクアウト機能・録音機能・画面共有

Zoom導入前の課題

私は、田舎の佐賀に住んでいます。毎週講座の開催のため東京へ出張していたので、交通・宿泊費そして移動の時間が多く、なんとかならないかなと思っていました。

また、九州は台風・地震・大雨・雷と天災が多いので、災害があるたびに講座やイベントの中止などで困っていました。

なぜZoomにしたのか？

2015年からZoomを使っているのですが、当時からほとんどデザインが変わっていません。また、改良のスピードが早いこと、録画がかんたんにできること、通話が安定していることも魅力的です。

機能としては、ブレイクアウトルームをよく使います。ブレイクアウトルームを使うことで、地域という場所の壁を超えた人と知り合いになれ、お話しすることができます。全国の人と繋がりができるのが大きな魅力です。

Zoomを導入するにあたり苦労したこと、またその解決策

Zoomでは参加者の音声を切ってセミナーをするので、参加者の反応がリアルのセミナーのときよりわかりにくかったり、休憩中での雑談などができなかったりすることに苦労しました。リアルより生徒同士のコミュニケーションが希薄になるので、チャットやブレイクアウトルームを活用して、学びと交流を織り交ぜながら満足度を上げる工夫をしました。

Zoom導入でできた解決・改善

　画面越しでは、自分が伝えたいことが伝えられているかや参加者の理解度の把握がしにくいため、高単価の講座の販売の成約率が落ちました。そこで、少人数での開催や、開催回数を増やして会う回数を増やすなどの仕組みを作り、成約率を上げることができました。

　Zoomなら会う回数を増やすことができるので、アフターフォローを充実させることが可能です。結果、リピートの売上が上がり、新型コロナの中でも売上は上がり続けています。

これからZoomを導入しようと思っている人へアドバイス

　Zoomを導入することで、自宅や旅先からでも仕事ができます。出勤や出張がないためプライベートの時間が増えます。

　コラボイベントなどもかんたんに開催でき、経費がかからないのでビジネスの幅が広がります。

　オンラインでの100人規模のイベントをしても会場代がいらないためさまざまな取り組みができます。

　今までアプローチできなかった海外のユーザーが増え可能性が広がりました。

　すべての仕事を自宅でできるので移動時間がなく、会場代がなく、講座開催が増えるので働く時間は半分になり、売上が2倍になりました。働き方を変えたい人は、Zoomを中心としたビジネスに切り替えると理想の未来がやってくると思います。

発酵食料理教室

株式会社あみだす　梅村小百合

Zoomは主催者にも受講者にもハードルが低い！

利用目的　　全国の生徒さん向けにお料理教室を開催

よく使っている機能　　画面共有、録画録音機能

　　　　　　　スイッチャー（ローランドV-02HD）を導入して、

・講師の表情

・調理する様子（手元）

・料理の素材や材料

・調理の過程

・質問する生徒さんの画面

以上を受講生に共有している。

Zoom導入前の課題

　東京と大阪で教室を開催していました。拠点が東京のため、大阪クラスの場合は材料・調理道具など大量の荷物を現地まで運ぶ必要があり、費用・時間・工数面へかけるコストが負担になっていました。

　また、開催都市は2箇所のため、地方から新幹線などに乗って来てくれる受講生もいました。地方住まいの参加者は、金銭的に大きな負担になっていたと思います。

なぜZoomにしたのか？

　PCの操作が苦手な受講生のために、かんたんな操作で接続できるツールにしたかったのでZoomを選びました。

　ZoomはURLもしくはミーティングIDを伝えるだけでかんたんに接続でき、トラブルの発生も少ない点が魅力です。講座の運営に専念できるので助かっています。

Zoomを導入するにあたり苦労したこと、またその解決策

　URLを参加者に伝えるタイミングを告知文に掲載していても、「いつURLの連絡がくるの？」という問い合わせが多く、対応に追われました。

　改善するために、案内は告知文だけでなく、事前案内メール・直前メールにも記載し、複数の案内を行うようにしました。参加者にまめにコンタクトを取ることで安心感を感じていただけたようです。

　受講生側のZoomの使い方については、すでにテレワークなどで慣れはじめていたので、特に困ることはありませんでした。

　料理クラスの実習様の材料を、Zoomクラス開催までに、新鮮な状態で送ることに苦労しました。

Zoom導入でできた解決・改善

　東京の拠点から開催できるため、費用・時間・工数が飛躍的にコストカットできました。

　受講生も住まいに関係なく、好きな講座を好きなタイミングで受講できるようになったので、これまで新幹線などで通ってきてくれていた地方住まいの受講生の負担を減らすことができました。

　Zoomの録画機能を使った「動画受講」も可能になったので、受講したいけれど日程的に難しいという受講生に喜ばれています。

　また、弊社キッチンスタジオはキャパ的に大人数の受講生を入れることができませんでしたが、Zoomならある意味無制限に受講生を増やすことができます。

　新型コロナウィルス感染症対策として「大人数が集まる」ことを避けられたのも、Zoomならではです。

　Zoomでどこまでリアリティのある調理過程を伝えられるのかの不安はありましたが、高画質のカメラを導入したことで、開催側・受講側両方の不安を拭うことができました。

これからZoomを導入しようと思っている人へアドバイス

　導入したばかりの頃はさまざまな課題が発生しましたが、どれもクリアするためのハードルは低かったので問題ありませんでした。Zoomのハードルが低かったからこそ、料理クラスの運営面に自分のエネルギーを集中させることができたと思います。
是非トライしてみてください。

Web マーケティング

株式会社ザ・リード　田中 祐一

オンライン会議ツールとしてだけではなく、仕事の生産性をアップするツールとしてフル活用しています。

利用目的	社内外のミーティング・クライアントへのフィードバック動画作成・社内動画マニュアルの作成・オンラインセミナー開催・販売用オンライン教材の作成
よく使っている機能	録画機能・ブレイクアウトルーム

Zoom導入前の課題

　チャットやメール、電話だけでのコミュニケーションによる情報共有に課題を感じていました。

　弊社は全員リモートワークのため、電話だと指示内容が記録に残りません。タスク管理が難しく、チャットやメールの文字だけの指示だと細かいニュアンスが伝わらずに認識のすれ違いが起きてしまうことがありました。ですが、意識合わせのために長時間のミーティングを実施することも避けたいという課題がありました。

なぜZoomにしたのか？

　Zoomは相手がアカウントを保有していなくても、URLをクリックするだけでオンライン会議に参加することができる点がとても便利だったからです。

　弊社では、社内外の会議だけでなく、私のビジネススクールの受講生ともミーティングを頻繁に実施します。また、オンラインセミナーを開催する際には、一度に20名以上の人が参加することもあります。その際、参加用のURLを送るだけでよいという利便性がZoomを選ぶきっかけとなりました。

Zoomを導入するにあたり苦労したこと、またその解決策

　導入当初から、直感的に使用できる仕様になっていたため、特に導入するにあたり苦労したと感じたことはありません。弊社のスタッフは、日本全国はもちろん、海外在住の者もいますので、国内外問わずどんな環境でもネットさえあれば使用できるのはとても助かっています。

Zoom導入でできた解決・改善

　Zoomの導入によって、社内外の関係者とのコミュニケーション速度が加速し、認識のすり合わせがスムーズになりました。特に活用しているのがZoomの録画機能です。会議を開催するとなると、たとえオンラインだとしてもお互いの時間の調整をする必要があり、複数人数が関係しているプロジェクトの場合は日程調整だけでも大変です。ですが、録画機能を活用すれば、資料を画面共有しながら伝えたいことを収録することで、文字だけ・音声だけという環境では伝えきれない情報量を気軽に、かつスピーディに相手に伝えることができます。会議

の日程調整の時間も不要です。クライアントからいただいた資料に対するフィードバックも録画機能で実施することで、次の会議まで待たずに回答を伝えることができますし、相手も何度も繰り返して内容を確認することができます。この機能の活用により、クライアントからもスピーディな対応が非常に嬉しいという反応を頂いています。

その他にも、社内マニュアルの動画化を進める際に録画機能を活用することで、PCのスペックに関わらずかんたんに動画マニュアルを作ることができるようになりました。これにより、スタッフ同士での情報共有がスムーズになり、業務効率の改善にも繋がっています。

これからZoomを導入しようと思っている人へアドバイス

リモートで仕事をする人にとっては必須のツールだと思います。

私の会社では、セミナーをリアル会場からZoomでの開催に変更しただけで、会場代だけでも相当な経費削減に繋がっていますし、移動の時間がなくなったことによる社員の生産性の向上にも繋がっています。オンラインでの「会議」のためのツールとしてだけでなく、Zoomの機能をフル活用して仕事の生産性アップにつなげることをおすすめします。

オンラインサロン・コミュニティ運営サポート業

株式会社女子マネ　中里桃子

Zoomのフル活用で0歳の赤ちゃんを育てながら、毎月100件以上のミーティングや講義を行っています。出産前よりも売上がアップし、会社が成長しました。

運営チームとのミーティング風景　2020年8月

利用目的　仕事効率化・出勤なしの全員フルリモートで働くチーム運営のため。
子供を育てながら研修講師やコンサルティングの仕事を続けるため。

よく使っている機能　画面共有・クラウドレコーティング機能

Zoom導入前の課題

　オンラインサロンやコミュニティ運営の講座を開催しています。コミュニティは「場に存在すること」「人に会うこと」が繋がりをつくるうえで大切だと考えていたので、リアル講義が中心で、毎週2、3回東京にセミナーや研修を開催しに行っていたことがありました。しかし、2019年夏に妊娠がわかり、産後にこんな働き方は難しいと思い、働き方を変える必要がありました。

なぜZoomにしたのか？

通信のスムーズさと、お客様側の導入のしやすさが決め手です。20年ほど前はSkypeを使っていましたが、インストールが必要で、PCのスペックによってはPCが重くなり不便を感じていました。その点、Zoomで必要なのはメールアドレスだけです。ITが苦手な人相手だと「どこにダウンロードされたのかわからない」という問題が発生することも多いのですが、アプリやソフトのインストールが必要なZoomではそれがありません。

Zoomを導入するにあたり苦労したこと、またその解決策

お客様に参加してもらうだけなら、特に苦労はありませんでした。しかし私はセミナー講師の人の講義のオンライン開催もサポートしています。ITが苦手な人に「主催者」として画面共有や録画を使いこなす方法を教えるときは少し苦労しました。電話をしながらPC操作を解説し、画面共有しながら手順を解説したものを録画して動画マニュアルとしてお客様にお渡ししています。

また、Zoomは移動時間がないため件数が増えてゆきます。私は月100件のZoomをこなしていますが、スケジュール調整が100件もあると煩雑になり過ぎるので、打合せの8割は定例化してスケジュールを固定しています。販売のためのZoom、納品のためのZoomと分けることによって、在宅のまま売上をコントロールしています。

Zoom導入でできた解決・改善

①レコーティング機能を使って、議事録の作成が簡便に。

②マニュアル作成も、画面共有でPC画面の手順を録画して動画で渡すことで時短化。

③クラウドレコーディング機能を使い、Zoomで開催している集合研修の講座をどんどんオンライン化して動画販売。

④動画をお渡しして反転学習にして、講義時間そのものも時短が可能になり、ワークやディスカッションなど、学びや実践に時間を使えるように。

⑤リアルのみだった講座をZoomでオンライン開催にして、Zoom説明会をすることで成約率もアップ。全国からお申込みが 来るように。

これからZoomを導入しようと思っている人へアドバイス

Zoomは、無料プランからでもスタートできます。ぜひオンラインの可能性を感じてほしいです。有料プランでも毎月本1冊分の値段もしません。私も最安値の有料プランです。ライフスタイルを大切にしたい人、とくにお母さんはぜひ活用して頂きたく、そうした支援も今後やりたいと思っています。

オンラインイベントプロデュース業
一般社団法人おうえんフェス代表　高田洋平

Zoomのおかげで参加者みんなが主役になれる場を作れています。

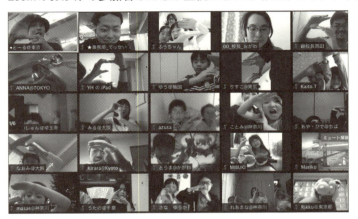

利用目的	一方的な配信ではなく、参加者参加型のさまざまなオンラインイベントの開催。
よく使っている機能	ブレイクアウトルーム・チャット機能・ZoomからYouTubeへのライブ配信機能・スポットライトビデオ

Zoom導入前の課題

　Zoom以外のツールでは、イベント時に参加者もアカウント作成が必要だったりと、接続までのハードルや説明コストなどがとても高いと感じていました。

なぜZoomにしたのか？

　参加者が参加しやすいこと（ワンクリックで参加できる）、慣れている人が多いこと、安定性や通信量やコストの低さ、ライブ配信できることなどの理由からZoomを選びました。Zoomにはたくさんのメリット

があると考えています。

Zoomを導入するにあたり苦労したこと、またその解決策

　オフラインイベントでは表現できるはずの参加者同士の交流や雑談、一体感を オンラインイベントで生み出すことが難しく、他のツールを試すなどの試行錯誤をしてきました。

　その結果、ブレイクアウトルームをイベント終了直後に活用するようになりました。全体で一方的にルームを切ることをせず、ブレイクアウトルームを使って部屋を分け、帰りたい人は帰る。雑談したい人はそのまま雑談できる、そんな場を敢えて作っています（主催者がそこに必ずしも入るわけでもありません）。

　また、参加者をいかに参加型にするか、一体感を出すかは常に意識しています。チャット機能を活用して1人でも多くの人に発信頂いたり、オンライン青森夏まつりでは跳人コンテスト等、ギャラリービューを活用し、参加者がZoom越しに共通のアクションをしたときには、感動するくらいの一体感を得られました。

　また、某アイドルとのジャンケン大会などもZoomだからこそ実現することができました。

Zoom導入でできた解決・改善

　双方向性のあるイベントの開催ができたのはもちろんのこと、それをYouTubeライブ配信することにより、Zoom参加、YouTubeライブ視聴、後日のYouTube視聴など、イベントへの参加方法の幅が広がりました。

　さらには、その動画をアーカイブとして残すことにより、イベントを資産化することができるようになりました。

　オンラインに慣れていない地方の人や高齢者の人も、Zoomであれば比較的参加しやすい上に、ライブ配信やホスト操作など、少し複雑な

ところはできる人が遠隔でサポートできる点が素晴らしいと考えています。地方のお祭りのオンライン化支援も、現地に行かなくてもサポートすることができました。また、Zoomによって、技術や知識による格差がどんどんなくなっていき、それぞれの人が独自の強みを発揮できるようになってきていると考えています。

これからZoomを導入しようと思っている人へアドバイス

いろいろなツールが次から次へ出てくるので、悩むこともあるかもしれませんが、騙されたと思って、一度Zoomを試してみてほしいです。想像以上にかんたんですし、想像以上にできることもたくさんあります。

また、使いこなすことによって、あなたの可能性が広がることは間違いありません。

食品開発・検定講座の開催

一般社団法人機能性表示食品検定協会　代表理事　石井亜由美

講座、セミナーをタイムリーに開催することができ、全国各地から受講頂けました。画面共有を用いながら、機能性表示食品の届出に関する打ち合わせも詳細にでき、業務を効率化することができました。

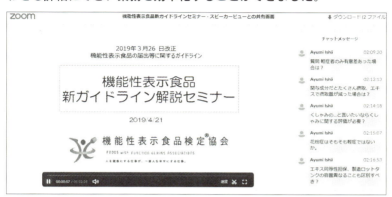

利用目的　遠方の人でも参加しやすい機能性表示食品のセミナーを開催するため。
機能性表示食品検定講座を収録するため。

よく使っている機能　画面共有・クラウドレコーディング・チャット（セミナー中の質問対応）

Zoom導入前の課題

　受講希望者の方は大手企業の方が多く、遠方であったり、平日受講したいという希望が多かった半面、講師の予定を平日に確保するのが難しい現状がありました。いつでも、だれでも、好きな時間に受講できる環境を整えたいと常々考えておりました。

なぜZoomにしたのか？

　Zoomはログイン登録など不要で、だれでもURLをクリックすればつ

ながるという簡便さがあり、受講前の説明会の実施に役立つと考えました。また、クラウドレコーディング機能がかんたんで、アップロード等の手間なく、すぐに受講生の方に動画を共有できることが魅力でした。

Zoomを導入するにあたり苦労したこと、またその解決策

「機能性表示食品について学びたい」、「届出を検討したい」という企業様は全国にわたり、特に地方の方が多くなっています。当初東京で土日に集中講座を開催していましたが、大手企業の開発担当者の人にとっては、移動、休日出勤、交通費、長時間講座での疲労などさまざまな参加しづらい問題がありました。

そこで、「集中できるくらいの短時間の講座を、何度かにわたって聞いてみたい」、「届出するにあたり事前相談をもっと気軽に受けてみたい」という要望を受けてZoomを導入することになりました。

Zoom導入でできた解決・改善

会議室でのリアル講座、Zoomを使ったオンライン講座を併用することにより、遠方の人も講師、受講者と相互交流することができ、学びも深まりました。またかんたんな操作で録画と配信ができるので、「忘れないうちに後日の復習ができて役立つ」と参加者からご好評いただいています。

また、消費者庁から新しいガイドラインが発表されると、即座にそのガイドラインについて研究した結果を解説するセミナーを開くことができました。質問は、受講者が気になったことをすぐにチャット機能で挙げて頂き、落ち着いたところで講師が解説するというスタイルを取ったので、セミナー進行もスムーズに行うことができています。

関東圏の生鮮の届出をするにあたり、最初は面談にてご説明させて

頂きましたが、後日詳細なやりとりはすべてZoomで行いました。試験結果を画面共有で確認し、パッケージデザインの写真を見ながら、表示についてリアルタイムでアドバイスできるので、大変便利でした。

2018年から機能性表示食品検定講座初級、中級、上級を実施しました。解説動画はすべてZoomで録画し改良を加えてYoutubeにアップしています。企画から講座の開講まで数カ月というスピードでした。こんな講座を作りたいと思ったときに、すぐに形にできるのがZoomの利点だと思います。

これからZoomを導入しようと思っている人へアドバイス

私はあまり声が通る方ではなく、会議室で話す場合には相当気合いを入れて声を張らないと伝わらないようなのですが、Zoomならマイクからダイレクトに伝わるので、楽に話すことができました。ビデオカメラでの録画で講座コンテンツを作成しようとすると、カメラのどこを見てよいのか悩んでいたのですが、ZoomならPCの共有画面を見ればよいので安心です。1人でZoomセミナーを録画すると、何度でも撮り直しができるのでおすすめです。集客に不安な場合でも、Zoomであれば参加者0でも録画して後日Youtubeにアップしてコンテンツ化すればよいと割り切ることができます。

以前ホストであるにもかかわらず、自分が退室してしまい焦ったのですが、そのまま会議は続いていたようで安心しました。インターネット環境の充実（有線を使う）などは必須です。自宅などでも気軽に開催、参加ができるのですが、周りの音を結構拾ってしまうので、静かな環境や指向性マイクなどを使い、スムーズな運営を行う工夫が必要です。

最近では投票や反応など使える機能も増えてきました。楽しいセミナー運営やお客様との情報交換のためにも、Zoomは欠かせない存在です。

研修・コンサルティング

パーソルラーニング株式会社　渡邊壽美子

コロナ禍で集合する研修が難しい時期に、顧客企業の営業力強化研修、管理職研修、新人研修の実施ができ、「ブレンディッドラーニング・ファシリテーター講座」の公開講座を継続実施でき、新たな可能性を拓いてくれました。

利用目的	集合研修ができなくなった時のライブ研修・研修のフォローアップ・プロモーションイベント・商談・社内外の関係者とのミーティングなど
よく使っている機能	画面共有・ブレイクアウトルーム・チャット・録画録音

Zoom導入前の課題

　コロナ禍で顧客企業の新人研修、管理職研修が延期、中止せざる得ない状況が続出しました。

　交通宿泊費の支出の問題から営業拠点が複数あるお客様へのフォローアップがなかなかできていない、会場の都合などの理由から、お客様へのプロモーションのための説明会の人数制限や日時制限があるなどの問題は、コロナ以前からありました。

なぜZoomにしたのか？

　社外の勉強会で使用し、グループに分かれた話し合いができる機能のメリットや通信の安定性、便利さを実感していました。お客様の環境によっては、Teams、Google Meet、webex、skype、Adobe Connect、Go to Meetingなどを活用することもありますが、通信の安定性や、意思疎通のしやすさなどの面で、とくに指定がない場合はZoomを使っています。

Zoomを導入するにあたり苦労したこと、またその解決策

　Zoomをはじめて利用する人は、最初は戸惑うことが多いので、本番の研修前に接続テスト日を設け、かんたんな使い方のご案内、通信、音声のチェックをしました。また、会場で受講する人と、自宅などからPCで受講する人が混ざる、いわゆるハイブリッドの運用は苦労しました。スタッフがマイクやカメラを何台か準備して、音声と映像のチェックを行い、本番ではZoom受講の方専用ファシリテーターを1人つけました。

Zoom導入でできた解決・改善

　Zoomを活用することにより、①タイムリーに対話を入れて新人研修を実施できたことで、顧客企業の新人の学びやチームワークの形成、意欲向上に貢献できました。②管理者研修ではリモートワーク下で、どのように部下とコミュニケ―ションをとっていくべきかについて対話する場としても機能しました。③営業もリモートでどのように商談を進めていくか、Zoomでの研修を受講することによって、新しいスタイルを身につけていただいています。④「ブレンディッドラーニング・ファシリテーター講座」では、オンラインのみで新たな学びの場をど

うやって作っていくべきか、実践を振り返りながらプロ講師が探求しています。

これからZoomを導入しようと思っている人へアドバイス

使い慣れてしまえば、大人数の研修やプロモーションイベントが地域を気にせず実施できるなど、メリットが大きいです。「ブレンディッドラーニング・ファシリテーター講座」では、UMUという学習アプリケーションを併用し、遠隔にいながらにして、参加者が共同で研修コースを短時間で作り上げることができています。他の学習アプリケーションと併用することで、今までよりも学びの質と量が各段にアップしていく可能性も秘めていると思います。

コンサルティング

株式会社マイクリエイト　代表取締役　福島美穂

自宅にいながら、全国の起業家・経営者の人と繋がれる！　オンラインサロンの立ち上げで、メンバーさん同士の連携も加速し、新しいプラットフォームも生まれました。

利用目的　女性起業家の人向けのオンラインサロンでの講座・個別相談・社内ミーティング

よく使っている機能　画面共有（会議資料の共有・ホワイトボード機能）・録画録音機能

Zoom導入前の課題

　導入前は、毎回、会社の会議室などを使い、個別相談や講座運営をしていました。でも、代表の私が出産をしたことで「働き方を変えなければいけない」となり、その際に掲げたのが、「在宅でできる、かんたんにできる」ものにすることでした。

　そこで、新しく女性起業家・経営者の方向けのオンラインサロン「アントレウーマンサロン」を立ち上げることにしました。また、多くの

女性起業家・経営者の人の話を聞くと、「在宅でできるならそのほうが嬉しい」ということでした。彼女たちの多くは、「仕事だけ」というわけにはいきません。家事、育児、介護など、仕事以外にもやることが多岐にわたるので、「いかに時間を効率的に活用するか」がポイントにもなっていたのです。

なぜZoomにしたのか？

　以前に、外部のZoomセミナーに参加したのがきっかけです。とてもスムーズで、画面共有や録音録画もかんたんにできて、とにかく便利だと思いました。まず社内で取り入れたところ、充実した機能ながら、シンプルな操作で使いやすいと感じました。

　また、Skypeと比べると、複数人が参加しても途切れにくく、安定していることも決め手になりました。資料を共有しながら、その場で修正をして、参加している人とその場で確認ができるのもいいと思いました。

Zoomを導入するにあたり苦労したこと、またその解決策

　いざ、お客様に使っていただこうとした際、最初は「Zoomに入れません」「音声が聞けません」といったことがありました。そこで、Zoomの操作方法を教えてくれる講座に参加して「Zoomの使い方の教え方」を社内で学びました。その上で、お客様に事前案内をしたところ、皆さんスムーズにZoomセミナーなどに参加していただけるようになりました。

Zoom導入でできた解決・改善

　オンラインサロンをはじめたこともあり、全国にお客様がいらっし

ゃいます。導入前は「参加したいけれど、家をあけられないので残念です」というお声も多数いただいていました。こういった、地理的・時間的な制約が取っ払われて、誰もが気軽に参加できるようになったのが、とても大きなメリットです。画面越しに直接お話ができるので、親近感も湧いてお互いの距離も縮まり、オンラインサロンメンバーさんを中心に「働くママ応援部」という、全国のママさんを応援するプラットフォームができました。働くママさんだけでなく、働くママさんを応援したいという専門家や企業の人が集まる場です。こういった場が作れたのも、Zoomを導入したからこそだと思っています。

これからZoomを導入しようと思っている人へアドバイス

　最初は、ハードルが高く感じるかもしれませんが、一度使ってみるとこれ以上便利なものはない！　と思うくらいです。まずは、Zoom講座に参加するなど、Zoomに触れてみることをおすすめします。

　また、人は制約があると、それを「どうにかしたい」と思い、工夫が生まれます。私もそうですが、子育てなど自分が主体となってやることがある場合、どうしても仕事に割ける時間に限りが出てきます。この制約を取っ払って、「やりたいことができる」という状態は、Zoomを導入すればかんたんに実現することができます。

　その証拠に、私はオンラインサロンや「働くママ応援部」という場を作ることができました。ここでは、毎月Zoomでセミナーや座談会を開催して、自宅にいながら全国の仲間と繋がることができます。これによって、「仲間がいるからがんばれる」「またがんばろう」という機運を高めることに繋がっています。いままで諦めていたようなことも、実現できるようになりますので、ぜひ、活用されてみてください！

Zoomを使ったサービスがあふれる社会

　さまざまな利用事例からヒントは見つかりましたでしょうか。私の友人は最近バーチャルツアーに参加しました。事前に参加者全員にツアー参加者用のタスキが届き、仮想背景用のバス内の画像が配信されてスタートしました。Zoomのギャラリービューは全員が同じバス内の背景画像で気分も盛り上がります。バスガイドのアナウンスを聞きながら現地に到着すると、別のガイドさんがZoomを使い手持ちカメラの画像を送りながらリアルタイムで案内してくれます。興味深いのは参加者ほとんどがガイドさんに親近感を持ち、今度は実際に現地に行ってみたいと思ったということです。まさに時空を超えた旅行サービスがZoomで実現しました。今ではリゾートワーケーションの施設もどんどん増えてきており、場所にとらわれない働き方は当たり前となってきました。これからさらにZoomは高機能化されていくと思いますので、Zoomを使った思いもよらないサービスが現れることがとても楽しみです。

ダブルプレゼント

最後までお読みいただき有難うございます。
　Zoomに招待する際にとても便利なテンプレートと、Zoomに関する新情報をプレゼント致します。

①すぐつかえる
　「**Zoomへの案内用テンプレート**」

②これは新しい
　「**Zoomの便利な使い方新情報**」

このアドレスから、
https://www.online-support.biz/present

もしくは以下のQRコードからアクセスいただき
ダウンロードしてください。

おわりに

　最後までお読みいただきどうもありがとうございます。自信を持ってZoomの操作ができるようになりましたか？　まだ自信がないなと感じている人も、ご安心ください。Zoomの魅力は何と言っても直感的に操作できることですから、何度か主催者としてZoomミーティングを経験すればすぐに慣れることができます。万が一操作がわからなくなってしまったときには、この本を思い出して見返していただけたら嬉しく思います。

　世界中で急速にオンライン化が進む中、Zoomは間違いなく、世界に大きな影響を与えたツールの1つです。リモートワーク・オンライン講座といった使い方だけでなく、オンライン飲み会や婚活などにも当たり前のようにZoomが使われるようになりました。誰もがかんたんに操作でき、数十名〜数百名単位の参加者がいても安定した接続を保つことができるZoomは、今後さらに進化していき、これからも私たちの一歩先の未来を見せ続けてくれることでしょう。

　ぜひ皆さんの仕事や勉強・プライベートにZoomを生かしてください！　この本の中でご紹介した事例が、皆さんそれぞれのZoom活用アイディアを広げてくれることでしょう。それらの事例を惜しみなく提供してくださった皆様に、この場を借りて御礼申し上げます。

　また、今回この本の改訂に際してご尽力くださった山田稔さん、大竹啓裕さん、そしてこれまでZoomを通して出会ってきたすべての皆様にも、心より感謝を申し上げます。

　読者の皆さんのZoomライフが、益々豊かなものになりますように！この本がその一助になりましたら幸いです。

タナカミカ

真鍋郷

Special Thanks

大沢 清文さん（一般社団法人キレイデザイン協会）

梅村 小百合さん（株式会社あみだす）

田中 祐一さん（株式会社ザ・リード）

中里 桃子さん（株式会社女子マネ）

高田 洋平さん（一般社団法人おうえんフェス）

石井 亜由美さん（一般社団法人機能性表示食品検定協会）

渡邊 壽美子さん（パーソルラーニング株式会社）

福島 美穂さん（株式会社マイクリエイト）

三好 孝典さん（株式会社タフメディア）

松田しゅう平さん（ユームテクノロジージャパン株式会社）

村上香織さん（株式会社リモートストーリーズ）

若林優香さん（株式会社リモートストーリーズ）

アットビジネスセンタースタッフの皆さん

著者紹介

タナカミカ
貸会議室アットビジネスセンター：テクニカルサポーターZoom部門

早稲田大学国際教養学部を卒業後、ベンチャー企業勤務を経て独立。2015年からZoomの利用を開始し、早くからZoom活用促進に注力。大手研修会社にてZoomを使ってのセミナーを担当するなど、講師としても活動。2020年よりアットビジネスセンター・オンラインセミナーサポートのテクニカルサポーターとして、Zoomの活用を研究。東京から青森県にUターン移住中。

真鍋 郷（まなべ あきら）
貸会議室アットビジネスセンター：オンラインセミナーサポートマネージャー

日本マクドナルド株式会社に入社。20年の外食マネージメントを経て、2016年株式会社ハッチ・ワーク入社。貸会議室アットビジネスセンターの運営と商品開発を担当。「ひとり会議室」「オンラインセミナーサポート」など会議室の枠を超えたサービスを開発。多くのWEB会議ツールを多角的に比較検証する中でZoomの優位性と可能性に魅せられる。

監修：大竹 啓裕（おおたけ たかひろ）
株式会社ハッチ・ワーク　代表取締役会長

「ストックビジネス」の研究と多業態を経営。2008年より貸会議室アットビジネスセンターを運営する傍ら、2016年当時アメリカで成長するZoomを研究し貸会議室のWEB会議ソフトとしてZoomと専用機器を導入。2017年より「Zoomマスター養成講座」を開催し多くの卒業生を輩出、当時国内では無名に近かったZoomの啓蒙に尽力する。著書に「ストックビジネスの教科書」「ストックビジネスの教科書professional」（ポプラ社）がある。

世界一わかりやすい
Zoomマスター養成講座　改訂版

2020年12月25日　初版第一刷発行

著　者	タナカミカ　真鍋 郷
監　修	大竹 啓裕
発行者	宮下晴樹
発　行	つた書房株式会社
	〒101-0025　東京都千代田区神田佐久間町3-21-5　ヒガシカンダビル3F
	TEL. 03（6868）4254
発　売	株式会社三省堂書店/創英社
	〒101-0051　東京都千代田区神田神保町1-1
	TEL. 03（3291）2295
印刷／製本	シナノ印刷株式会社

©Mika Tanaka, Akira Manabe, Takahiro Otake 2020, Printed in Japan
ISBN978-4-905084-43-3

定価はカバーに表示してあります。乱丁・落丁本がございましたら、お取り替えいたします。本書の内容の一部あるいは全部を無断で複製複写（コピー）することは、法律で認められた場合をのぞき、著作権および出版権の侵害になりますので、その場合はあらかじめ小社あてに許諾を求めてください。